L'atlas est de retour

tome 4

Où que vous soyez, visitez notre site :
www.soulieresediteur.com

De la même auteure
chez le même éditeur
L'atlas mystérieux, tome 1, coll. Chat de gout-
    tière, 2004, 2e position au palmarès de
    Communication-Jeunesse 2005, finaliste au
    Prix Hackmatack 2006.
L'atlas perdu, tome 2, coll. Chat de gouttière,
    2004, Prix Hackmatack 2007.
L'atlas détraqué, tome 3, coll. Chat de gout-
    tière, 2005.
L'île à la dérive, coll. Chat de gouttière, 2008.

Aux éditions Pierre Tisseyre
Le chien du docteur Chenevert, série Biocrimes
    1, coll. Chacal, 2003, Finaliste au prix
    Cécile Gagnon 2003
Clone à risque, série Biocrimes 2, coll. Chacal,
    2004.
Les saisons d'Émilie, coll. Sésame, 2004.
Les gros rots de Vincent, coll. Sésame, 2005
Anthrax connexion, série Biocrimes 3, coll.
    Chacal, 2006.
Tempête sur la Caniapiscau, coll. Ethnos,
    2006, Finaliste au Prix de la Ville de
    Québec 2007.
Le naufrage d'un héros, coll. Ethnos, 2009.

Aux éditions de l'Isatis
La tisserande du ciel, coll. Korrigan, 2005.

Aux éditions Foulire
*Mes parents sont gentils mais… tellement
    maladroits !*, 2007. Lauréate du Prix des
    abonnés du réseau des bibliothèques de la
    ville de Québec 2008.

L'atlas est de retour
tome 4

un roman de

Diane Bergeron

illustré par
Sampar

SOULIÈRES ÉDITEUR

case postale 36563 — 598, rue Victoria
Saint-Lambert (Québec) J4P 3S8

Soulières éditeur remercie le Conseil des Arts du Canada et la SO-DEC de l'aide accordée à son programme de publication et reconnaît l'aide financière du gouvernement du Canada par l'entremise du Programme d'Aide au Développement de l'Industrie de l'Édition (PADIÉ) pour ses activités d'édition. Soulières éditeur bénéficie également du Programme de crédit d'impôt pour l'édition de livres – Gestion Sodec – du gouvernement du Québec.

Dépôt légal : 2009
Bibliothèque nationale du Canada
Bibliothèque nationale du Québec

Données de catalogage avant publication (Canada)

Bergeron, Diane

L'atlas est de retour

(Collection Chat de gouttière ; 33)

Pour les jeunes de 9 ans et plus.

ISBN 2-89607-090-9

I. Sampar. II. Titre. III. Collection : Chat de gouttière ; 33.
PS8553.E674A932 2009   jC843'.6 C2008-942114-0
PS9553.E674A932 2009

Illustration de la couverture
et illustrations intérieures :
Sampar

Conception graphique de la couverture :
Annie Pencrec'h

*Chaque voyage est le rêve
d'une nouvelle naissance.*
Jean Royer,
La Main cachée.

*Le véritable voyage de découverte
ne consiste pas
à chercher de nouveaux paysages,
mais à avoir de nouveaux yeux.*
Marcel Proust.

À tous les aventuriers et aventurières,
qui croient en l'extraordinaire
pouvoir imaginaire de l'atlas.

Résumé des tomes 1, 2 et 3

Dans ***L'atlas mystérieux***, Jean Delanoix découvre un livre tout à fait extraordinaire qui lui permet de voyager dans différents pays et à différentes époques de l'histoire. Jean se rend d'abord en Afrique, dans le corps de N'Juno, le jour où celui-ci doit devenir un homme. Puis l'atlas entraîne notre héros au Klondike, durant la célèbre ruée vers l'or, au début du XXe siècle. Finalement, il arrive en Atlantide, à la veille de la terrible catastrophe qui marquera la disparition de cette île fabuleuse.

Dans ***L'atlas perdu***, Catherine, la mère de Jean, perd l'atlas alors qu'elle est à Rome, à la bibliothèque du Vatican. Jean s'y rend pour retrouver le précieux livre et sauver sa mère. Avec la poudre trouvée dans l'armoire, il voyage, invisible, jusqu'en Égypte. Jean finit par découvrir l'auteur du vol, mais ce n'est qu'après avoir expérimenté l'espace et les ratés de l'atlas dans cet univers inhospitalier qu'il peut rapporter le livre à son point de départ.

Dans ***L'atlas détraqué***, Jean décide que les voyages dans l'atlas, c'est terminé. Trop dangereux ! Mais il s'agit d'un moment d'inattention pour qu'il soit propulsé, tour à tour, dans le corps d'une princesse au Moyen-Âge, dans le tronc d'un arbre sur le site d'Expo 67, puis dans la peau d'une panthère noire. Avec ce sentiment étrange de toujours rencontrer dans ses voyages le même personnage inquiétant... L'atlas disparaîtra finalement de la vie des Delanoix.

Première partie

Que le meilleur gagne !

Chapitre 1

Cauchemar en direct

La chaleur touffue de la forêt tropicale imprègne d'humidité les feuilles des arbres, les troncs, la moindre plante. N'Juno essuie la sueur qui perle sur son nez en se concentrant sur la piste à peine dessinée. Le groupe est passé depuis quelques jours que déjà la forêt a repris ses droits. L'Africain se penche soudain, évitant de justesse une toile d'araignée qui lui barre le passage. Le cœur battant, N'Juno saisit une brindille et touche avec précaution un des fils. Aussitôt, une arai-

13

gnée noire, pas plus grosse que le pouce, se précipite sur la toile, prête à injecter son venin mortel dans sa proie. Le jeune homme soupire. Il vient d'éviter une redoutable veuve noire, reconnaissable à ses deux taches rouges sur l'abdomen, une bestiole qui aurait pu mettre fin à sa mission et à sa vie. Replaçant sa gibecière sur l'épaule, il repart, attentif à la piste, aux tiges coupantes et aux araignées qu'il déteste par-dessus tout.

Vers la fin de la neuvième journée de marche, le sentier s'éclaircit tout d'un coup. N'Juno est arrivé dans une clairière illuminée par le soleil déclinant. Une odeur envahissante et quelque peu répugnante remplace celle de la forêt qu'il a l'habitude de respirer. Poisson pourri et... sel ?

N'Juno a toujours éprouvé un grand respect envers le sel, cette substance blanche qui coule comme du sable et que les marchands apportent au sorcier du village en échange de peaux de tigres ou de lions. Un jour, alors qu'il était un jeune garçon, N'Juno avait goûté au sel et s'était aussitôt précipité vers la gamelle d'eau, sous les moqueries des aînés. Il avait appris que le sel était considéré à la fois comme une richesse, un médicament et une monnaie d'échange, et qu'on en trouvait là où le fleuve se jette dans l'étendue d'eau sans fin.

N'Juno hume l'air avec attention. Il est donc arrivé à l'extrémité de la terre. Plus loin, c'est l'inconnu et, d'après les légendes que le griot racontait le soir, sous le manguier, le *grand vide* où les effroyables monstres s'entredéchirent. N'est-ce pas, d'ailleurs, le bruit de leur respiration puissante qu'il perçoit, lorsqu'il tend l'oreille ?

Le soleil se couche dans un flamboiement de rouge et d'orangé. En frémissant, le jeune homme retourne à l'abri de la jungle pour dormir, en attendant que le jour se lève et renvoie les bêtes immondes à leur caverne sans fond.

Le jour dessine à peine une ligne rosée à l'horizon que, déjà, N'Juno a franchi les derniers mètres le séparant de la plage. Ce qu'il voit le remplit de terreur. Un bateau immense, plus grand que le village entier, se balance sur l'eau tranquille. L'eau bleue, verte, mauve, n'est bordée, à l'horizon, par aucun rivage. C'est ça, le *grand vide*. Sur la plage, plusieurs cages en bois de bambou sont alignées, d'où sortent des pleurs et des gémissements. Et entre les deux, des hommes d'une couleur que N'Juno n'a jamais vue, mais qui correspondent bien à la description que sa mère lui en a faite : des démons blancs. Ils portent des fouets qu'ils utilisent pour pousser devant eux des hommes et des femmes qui marchent lentement, la tête basse, les pieds et les mains entravés par des chaînes. Des enfants, qu'on s'efforce de regrouper, s'accrochent désespérément à leurs parents.

Une barque fait l'aller-retour entre la plage et le bateau. L'Africain gémit en reconnaissant son meilleur ami, Nîmo[1], qui se débat avant de disparaître dans les entrailles du navire. Nîmo que son père, le chef Wokabo, préparait pour devenir le prochain chef du village de Kananga, avant l'arrivée des démons blancs...

N'Juno se secoue. Il ne peut pas rester là à ne rien faire. Il doit aider les habitants de son village. Attaquer les démons ? Il soupèse sa lance d'une main et la trouve bien inoffensive pour s'en prendre à autant d'hommes et à leurs bâtons de feu qui brillent au soleil. Mais s'il

1. Voir *L'atlas mystérieux*.

parvient à libérer quelques-uns de ses amis, peut-être pourront-ils les vaincre tous ensemble ?

Il approche de la première cage en rampant comme un serpent dans le sable. À quelques mètres de son but, une jeune fille le remarque et se met à se lamenter en l'appelant par son nom. C'est Mambella, sa fiancée, les poignets et les pieds décorés de bracelets de verroterie. Furieux, il lui ordonne de se taire. Il continue d'avancer sous les regards muets d'espoir des prisonniers. Lorsqu'il arrive enfin à la cage, il sort son couteau et commence à couper les lianes qui retiennent les bambous ensemble. Il n'a pas coupé trois liens qu'il sent soudain un poids énorme s'abattre sur lui. La douleur est atroce, celle du bâton et des lanières de cuir qui déchirent la peau de son crâne. Et avant de sombrer dans l'inconscience, N'Juno a le temps de voir son assaillant : un homme à la peau d'ébène, vêtu comme les démons blancs.

Lorsque N'Juno reprend conscience, son corps tout entier lui fait mal. Particulièrement entre les deux épaules, où il a l'impression qu'un soleil se consume. Un liquide chaud coule de son crâne, et il tend le bras pour y toucher. Son geste, arrêté à mi-course, provoque des bruits de ferraille et des protestations autour de lui. Il bouge ses pieds, même résultat. Il est enchaîné à ses voisins. Il ferme les yeux et essaie de se rappeler ce qui s'est passé. La cage. Le coup sur la tête. L'homme à la peau noire. Et dans la brume de l'inconscience, la sensation d'être marqué au fer rouge et d'être descendu brutalement dans un enfer puant. Il fait sombre et, autour de lui, il peut sentir des corps chauds qui gémissent et, sans fin, ce roulis qui lui arrache la peau du dos. La vérité l'assomme comme un coup de massue : il est prisonnier. On l'amène, comme ceux de son village, sur cette eau bleue sans rivage, dans la gueule de monstres sanguinaires. N'Juno Mobasso, du village de Kananga, lance un hurlement de désespoir avant de sombrer de nouveau dans la nuit.

—NOOOOOONNN ! hurle l'adolescent en émergeant de son sommeil, le corps trempé de sueur.

—Doucement, Jean ! Calme-toi, ce n'était qu'un mauvais rêve.

—Non, maman, c'est trop horrible ! C'est N'Juno. Lui et les habitants de son village ont été capturés par des marchands d'esclaves.

Jean rassemble ses couvertures autour de lui et raconte à sa mère l'affreux cauchemar qu'il vient de vivre. La chaleur, les odeurs, la douleur aussi, il a tout ressenti, comme s'il était lui, N'Juno. Comme lorsqu'il a pris place dans le corps de l'Africain, lors de son premier voyage dans l'atlas.

—Maman, il faut faire quelque chose pour eux. Je ne peux pas laisser mes amis subir un châtiment aussi effroyable.

—Voyons, Jean, c'est impossible. Cela s'est passé il y a plusieurs siècles déjà.

—Mais… si on utilisait l'atlas ?

—L'atlas a disparu, mon grand. Tu le sais bien. On ne peut plus voyager comme avant. Et, de toute façon, que pourrais-tu y faire ? Un enfant seul, même un adulte, n'aurait pu empêcher ce terrible crime qu'a été l'esclavage. Rendors-toi, maintenant. Le jour de ta compétition approche, tu dois être en grande forme.

Le cœur serré par le désespoir, Jean regarde le mur où est accrochée son épée

et ferme les yeux, espérant revoir en
songe son ami triompher des affreux trafiquants d'esclaves.

Chapitre 2

Souvenirs de l'atlas

Au matin, Catherine est surprise de voir que son fils a déjà quitté sa chambre. Son pyjama est rangé sous l'oreiller, le lit est fait. Sans même qu'elle l'ait demandé ! « Il grandit, mon fiston », pense-t-elle avec fierté et un petit pincement au cœur. Sur le bureau de travail, des feuilles de papier jauni sont éparpillées. Sur celle du dessus, Catherine peut lire « Souvenirs » en lettres d'or. Le reste est de la main de son fils. Elle se penche et lit :

Souvenirs d'Afrique. C'est génial, je suis devenu un Africain. Je m'appelle N'Juno et j'ai la peau noire. J'ai pêché dans la rivière avec une lance, j'ai partagé le repas de ma famille noire et j'ai gardé les chèvres dans la savane. Et le plus incroyable, c'est que j'ai tué la vieille lionne qui terrorisait les habitants du village. Je crois que l'atlas m'a beaucoup aidé. Maintenant, je dois vite trouver comment partir d'ici, car je ne veux pas devenir un homme. Je suis trop jeune pour cela. Adieu l'Afrique et merci N'Juno pour cette journée fantastique.

Catherine repense au cauchemar de son aîné. D'après ce qu'il lui a raconté, il se sentait vraiment dans la peau de N'Juno, il vivait tout ce que N'Juno vivait, respirait les odeurs, sentait la chaleur et la douleur. Mais l'atlas, le mystérieux atlas, n'est plus au grenier depuis longtemps. Il a disparu lorsque Juan, l'Atlante, l'a ramené avec lui pour le remettre en état. L'armoire aux portes sculptées s'est également volatilisée du grenier. Jean n'a donc pas voyagé en Afrique hier soir. Mais était-ce vraiment un rêve ? Catherine se secoue. Bien sûr que c'était un rêve. Elle ramasse les feuillets et les range dans le tiroir du bureau. Jean doit maintenant se concentrer sur sa compétition. Rien ne doit le déranger d'ici là. Elle regarde sur le mur et remarque que l'épée n'est plus sur le râtelier. Elle sourit. Jean doit être parti s'entraîner. Il espère obtenir une bonne place aux championnats provinciaux d'escrime, puis aux nationaux. S'il se classe bien, il aura son entrée dans deux ans aux championnats mondiaux à Paris et, qui sait, aux prochains Jeux olympiques, à Londres.

— Junior, sais-tu où est ton frère ? demande Roger, le père de Jean.

— Euh ! …

— Junior, lâche un peu l'écran et réponds à ma question, s'impatiente Roger.

— Il est dans la cour arrière. Il joue à l'épée… pour faire changement.

— Junior, tu sais que ton frère se prépare pour une importante compétition demain. J'aimerais que tu bouges un peu, toi aussi, que tu sortes dehors. À sept ans, je courais les bois, je faisais du vélo, je jouais au foot, je n'arrêtais pas une seconde.

— Pauvre papa ! Quelle enfance épuisante tu as eue !

Roger s'approche de son fils et, sans dire un mot, éteint la console de jeu. Junior comprend qu'il n'a pas intérêt à protester. Il enfile son manteau et sort en quatrième vitesse dans le jardin. Il va rejoindre Alex, l'ami de toujours de son grand frère qui observe Jean se battre contre un ennemi imaginaire, feintant, esquivant, attaquant et pourfendant l'air de son épée.

—Il est bon, mon frère, hein ! s'exclame Junior. Tu crois qu'il va gagner ?

—Oh oui ! Il est bon, répond Alex. Depuis tout à l'heure, il a tué trois mouches, transpercé des nuages et fait une grande écorchure à l'arbre. Je ne voudrais pas être son adversaire, ajoute-t-il en éclatant de rire.

Junior le regarde avec un air contrarié et s'en va retrouver son copain au parc. Jean, qui n'a rien entendu de l'échange, va s'asseoir auprès d'Alex. Il polit longuement sa lame en reprenant son souffle.

—Est-ce que j'ai bien vu que tu avais ajouté une nouvelle attaque ? demande Alex d'un ton connaisseur.

—Oui, enfin, je ne sais pas si elle sera efficace.

—Je l'ai déjà vue quelque part. Est-ce que je me trompe ?

—Euh… non, avoue Jean en rougissant, c'est une séquence qu'utilise Antonio Banderras dans son dernier film.

—*La légende de Zorro !* ricane Alex. C'est du cinéma, ça. Du faux, du toc ! C'est arrangé avec le gars des vues. Jamais tu ne vaincras tes adversaires avec des coups pareils.

—Je te remercie de me remonter le moral, Alex Dubois, proteste l'adolescent. Peut-être que si tu faisais autre chose au lieu de te moquer de tes amis, ta vie serait moins ennuyeuse. On se reverra après la compétition. Salut !

Jean remet l'épée dans son fourreau et rentre à la maison. Il se précipite dans sa chambre et se jette sur son lit, frustré, déçu par son ami et en proie à un doute effrayant : s'il n'est pas à la hauteur, demain ? S'il n'est pas assez bon et qu'il perd tous ses combats ? Si tout ça n'est que du toc, du faux ? Une petite voix dans sa tête tente de le convaincre qu'Alex est jaloux, comme au temps de l'atlas, alors qu'il l'avait volé à sa mère pour voyager lui aussi[2]. Il pense aussi à N'Juno qui aurait peut-être eu besoin de savoir manier l'épée pour se sortir de cet ef-

---

2. Voir *L'atlas perdu* (tome 2).

froyable esclavage qui a peut-être ruiné sa vie, son village et la destinée de ses semblables.

Pour détourner ses idées de la compétition, Jean s'installe à l'ordinateur et commence à faire des recherches : Afrique, traite d'esclaves, bois d'ébène[3], négrier[4]. Un mot en entraîne un autre, des dizaines de pages s'ouvrent devant ses yeux. Ce que Jean y découvre le remplit de colère. L'Afrique a été longtemps un continent méconnu. Des déserts sans fin, des rivières aux cataractes infranchissables, des forêts impénétrables, et mille dangers attendaient les explorateurs qui s'y aventuraient. Pourtant, dès que des ba-

3. Bois de l'ébénier, dur, lourd, au grain uni, d'un noir foncé. Nom pudique donné aux esclaves noirs par allusion à la couleur noire de ce bois.
4. Marchand d'esclaves noirs. Aussi, bateau destiné au transport outre-mer des esclaves. Certains pouvaient contenir jusqu'à 600 hommes, femmes et enfants, entassés à trois par mètre carré. La traversée durait jusqu'à trois mois auxquels s'ajoutait la quarantaine (environ 40 jours). Les esclaves étaient ensuite mis en vente, directement sur le pont du bateau ou dans un marché.

teaux ont pu traverser les océans, le monde s'est ouvert aux richesses des autres continents. Et qui dit richesse dit main-d'œuvre. Aujourd'hui crime contre l'humanité, l'esclavage était, il n'y a pas si longtemps, un moteur de l'économie, et les esclaves étaient estimés au même titre que le bétail ou les possessions du maître. Le propriétaire de l'esclave avait toute liberté de le vendre, de le léguer à ses descendants ou de le traiter comme bon lui semblait. Même les enfants des esclaves devenaient les esclaves du maître. La traite des esclaves africains a duré du XVIe au XIXe siècle et les derniers marchés d'esclaves ont été abolis en 1920. Près de cinquante millions d'hommes, de femmes et d'enfants ont ainsi perdu leurs racines lors de cette déportation massive.

Le cauchemar de la nuit dernière avait paru si réel à Jean, si riche en détails ! À commencer par le bateau qu'il avait vu flotter sur l'eau, qui ressemblait à s'y méprendre aux navires négriers dessinés sur l'écran de son ordinateur.

Une idée frappe soudain l'adolescent. Si le rêve est vrai et que le village de N'Juno a été détruit par les marchands d'esclaves, il ne devrait plus exister aujourd'hui. Avec soulagement, Jean découvre que Kananga, loin d'avoir été rayée de la carte de l'Afrique, est aujourd'hui la deuxième plus grande ville de la République démocratique du Congo, avec plus d'un million d'habitants. Son économie est basée sur les gisements de diamants et l'agriculture céréalière. Malgré les guerres civiles qui, ces dernières années, ont ravagé le Congo, Kananga est surnommée l'Oasis de Paix.

Si Kananga est devenue une ville aussi importante, conclut Jean, c'est que ça ne s'est pas passé comme dans son rêve. À moins, bien sûr, que le village ait été reconstruit... *Que peut bien vouloir dire ce rêve, dans ce cas ?* se demande le garçon, de plus en plus embêté.

Chapitre 3

L'image de la lionne

Le championnat provincial d'escrime se tient à Montréal, au complexe sportif Claude-Robillard. Le club Estoc de Québec a envoyé dix représentants. Ceux de Montréal sont les plus nombreux, une vingtaine en tout. Les autres régions n'ont envoyé que quelques-uns de leurs plus talentueux escrimeurs. Jean doit se battre au fleuret et à l'épée, cette dernière arme étant sa spécialité. Il sent son estomac se contracter lorsqu'il regarde le tableau des participants : Julien Bourelle s'est également inscrit. Julien, l'as de l'épée, le chevalier noir, celui qui revêt toujours un grand manteau sombre et qui ne l'enlève que pour combattre, celui qui n'a jamais subi de défaite et dont tout le monde parle déjà comme d'une légende. Jean est le deuxième favori : une seule défaite cette année, contre Julien-la-légende, bien sûr. Cuisante défaite qui lui est restée au travers de la gorge et qui justifie la nervosité qu'il éprouve en ce moment.

David, l'entraîneur, rassemble ses joueurs :

— Bon, les Estocs, on est venus ici pour s'amuser, d'abord et avant tout. Qu'on gagne ou qu'on perde, la seule chose importante, c'est de le faire dans les règles. Remportez vos points l'un après l'autre, soyez constants, et ne sous-estimez pas vos adversaires. Ils sont coriaces, ils pensent faire de vous une seule bouchée. Montrez-leur que vous savez vous battre. Estocs ?

— Un pour tous et tous pour un ! s'exclament les escrimeurs pour reprendre la célèbre maxime des quatre mousquetaires.

Toute la matinée, les combats au fleuret se succèdent. Jean n'en perd pas un, même si certains adversaires se montrent d'une surprenante adresse. Dans sa division, Julien-la-légende ne dément pas sa réputation en remportant haut la main tous ses combats. L'après-midi, les duels à l'épée sont au programme. L'assistance est nombreuse, car ces joutes sont spectaculaires. On a l'impression de se retrouver dans un film de cape et d'épée, avec le son des lames qui s'entrechoquent, l'agilité des attaques et la vitesse des parades et des ripostes. Encore une fois, Jean et Julien se distinguent en remportant tous leurs matchs, chacun dans sa division.

Le dimanche, après le lunch, Jean ne tient plus en place. Il marche de long en large dans le vestiaire, dégainant son épée contre les courants d'air. Au microphone, on annonce enfin le prochain duel :

— Demi-finale au fleuret, chez les 15 ans et moins : Gino Shapiro du club Fine Lame de Val d'Or affrontera Jean Delanoix du club Estoc de Québec. En place, messieurs.

Jean arrive en courant sur la piste, salue son adversaire et ajuste son masque. Immédiatement, Gino fonce sur lui, l'obligeant à reculer. Jean traverse la ligne arrière et un point est marqué au tableau d'affichage. En grognant, Jean se replace, engage, esquive et touche. Un à un. Le match se poursuit, alternant les points pour et contre. Du coin de l'œil, Jean aperçoit Julien triompher quinze à zéro de son adversaire. Déconcentré, il ne voit pas arriver le coup suivant et se fait éliminer par Gino Shapiro. La mort dans l'âme, Jean se rassoit dans les estrades, à l'écart de la foule.

David s'approche et vient se placer à côté de son protégé. Jean lève un visage malheureux vers son entraîneur.

— Qu'est-ce qui se passe, Jean ? Tu aurais pu gagner ce combat si tu étais resté concentré.

— C'est à cause de Julien-la-légende…

— J'ai bien vu cela. C'est impardonnable de se laisser distraire par un match qui se déroule sur le terrain d'à côté. Et si tu continues de l'appeler Julien-la-légende, tu es perdant dès le départ. Pourquoi ne serait-ce pas Jean, la légende ? Ça sonne plutôt bien à mon oreille ! Reprends-toi, il te reste ton combat à l'épée. Ne le laisse pas gagner sans combattre. Je ne veux pas que tu te laisses influencer par la façon d'agir de Julien, son manteau, son air arrogant, ses manières de petit caïd. Tu l'as déjà affronté, tu le connais. Nous avons discuté de ses points faibles, tu dois te concentrer là-dessus, et sur rien d'autre. Que tu gagnes ou que tu perdes la finale, ce n'est pas dramatique. Tu seras sélectionné quand même pour les championnats canadiens. Mais rends-toi au moins à la finale.

— Je comprends tout ça, murmure Jean, mais j'ai quand même très peur. Je n'y peux rien : mes mains deviennent moites et mon arme glisse.

— Bon... voyons cela autrement. As-tu une pensée sur laquelle tu peux te concentrer ? Quelque chose qui te donne de l'agressivité et de la confiance ?

Jean pense d'abord à son cauchemar de l'autre nuit, mais c'est plutôt une sensation de défaite qui le submerge. Puis il se remémore son combat avec la lionne et la merveilleuse impression qu'il a ressentie lorsqu'il s'est rendu compte qu'il avait tué le redoutable félin et sauvé, par le fait même, son compagnon Nîmo. Oui, l'image est bonne. Il l'adoptera lors de son duel.

Il sourit à son entraîneur, un peu plus confiant, et retourne s'asseoir avec les membres de son club. La finale au fleuret est remportée sans surprise par Julien Bourelle qui se pavane dans son grand manteau noir, l'air arrogant avec

sa médaille d'or au cou. Lorsqu'il aperçoit Jean dans l'assistance, il lui fait un
sourire méprisant et passe sa main sur
son cou, l'air de dire qu'il aura sa peau.
Jean lui renvoie son sourire en l'imaginant étendu sur le sol, comme la lionne.
Il peut même sentir l'air chaud et enso-
leillé de la savane africaine. Tout à coup,
il a très hâte de se battre contre Julien,
mais avant de pouvoir savourer ce combat, il devra se concentrer sur son match
de demi-finale.

Lorsque le nom de Jean résonne dans
les haut-parleurs pour la demi-finale, il
bondit sur la piste. Son adversaire est un
épéiste de Sept-Îles, Jonathan Chabot.
En quelques mouvements bien orches-
trés, Jean réussit son premier point. Il
esquive l'attaque surprise de Jonathan
et touche la poitrine de son concurrent,
marquant de nouveau. Toute l'assistance
est silencieuse, retenant son souffle. On
n'entend que le choc des lames et les
han ! les oh ! et les hé ! des combattants.
Cette fois, Jean ne se laisse pas troubler
par Julien qui se bat sur la piste voisine.
Lorsque Jean remporte rapidement son

match, les applaudissements éclatent autour de lui et Julien commet alors sa première erreur d'inattention. Furieux de s'être laissé prendre, il se réengage dans son combat comme un enragé et blesse au cou son adversaire, qui doit abandonner la partie pour se faire soigner. Fier comme un paon, malgré la désapprobation des spectateurs et un carton rouge pour mauvaise conduite, Julien regagne sa place.

Une demi-heure plus tard, on annonce enfin le duel ultime :

— Dans la classe des moins de 15 ans à l'épée, la finale opposera Julien Bourelle du club Gadbois à Jean Delanoix du club Estoc. En place, messieurs.

Au début du combat, les deux adversaires s'étudient, feintent de s'engager pour tester leur opposant. Puis Julien attaque, dévie la lame de Jean et le touche à l'épaule droite. Un à zéro. Jean recule, se secoue et repart à l'attaque. Julien refait la même feinte et Jean se fait à nouveau prendre. Deux à zéro. Jean peut entendre le rire narquois de Julien sous son masque. Il essaie de faire abstraction des commentaires moqueurs de Bourelle, mais celui-ci ne lui en laisse pas le temps. Il l'engage à toute vitesse, attaquant avec une rapidité surprenante et touche l'épaule droite pour la troisième fois. Jean serre les dents. L'assaut suivant se conclut de la même façon, mais cette fois, la douleur est si vive que Jean en échappe son épée. L'arbitre interrompt le jeu pour lui demander s'il désire arrêter le combat. Vexé, Jean répond :

— Jamais de la vie ! Tant que je suis capable de tenir mon épée, je continue.

Sur ce, il reprend position, l'épée pointée vers le cœur de Julien. Cette fois, l'engagement est plus long, la fureur de Jean lui permettant d'éviter plusieurs fois la lame de son adversaire. Mais ses propres coups ne portent pas et l'épée devient de plus en plus lourde dans sa main. Pour se redonner courage, il essaie de penser à la lionne, mais l'image ne vient pas à son esprit. Il n'y a que Julien, l'arrogant et invincible Julien-la-légende. Touché ! Encore son épaule. Cette fois, Jean ne peut retenir un gémissement.

Le temps d'arrêt après les trois minutes réglementaires sonne. David se précipite sur Jean et lui retire sa veste d'escrimeur. L'adolescent grimace en voyant la peau violacée. David pose un bandage tout en parlant à son protégé :

— Je crois qu'il a découvert ton point faible et il s'en sert très bien. Ne lui laisse pas cette chance. Dégage-toi rapidement chaque fois que tu l'attaques. Sers-toi de ton jeu de pieds. J'ai remarqué qu'il ne se déplace pas beaucoup. Il doit commencer à être fatigué. Épuise-le en couvrant toute la surface du terrain. Et refais ton image mentale, tu sais, on en a parlé tout à l'heure. Allez Jean, du courage !

Chapitre 4

Tu n'es pas Julien, toi ?

L e tableau indique cinq points à zéro pour Bourelle. Le duel reprend. Comme le lui a fait remarquer son entraîneur, Julien a l'air fatigué. Il ne bouge presque plus sur le terrain. C'est comme s'il avait rapetissé de quelques centimètres, ses épaules sont voûtées et il tient mal son épée. Jean attaque et touche sans que l'autre ait eu le temps d'amorcer le moindre geste pour se défendre. Jean recule et revient à la charge. De nouveau, il marque facilement. Dans la foule, des murmures de désapprobation s'élèvent. Jean hausse les épaules pour leur signifier qu'il n'y peut rien et s'élance de nouveau dans une ronde étourdissante autour de Julien. Il marque trois fois encore pour créer l'égalité, cinq à cinq. L'assistance chahute maintenant son préféré. Jean, lui aussi, trouve que le match a pris une tournure étrange. Il a l'impression d'avoir un débutant devant lui, pire, un débutant apeuré. Il encourage Julien :

— Qu'est-ce qui se passe, Bourelle, tu te dégonfles ? Lève au moins ton épée.

L'autre lui obéit et lève son arme à la hauteur de son masque.

— Voyons, Julien ! Bats-toi comme un homme. Tu as une réputation à conserver. Tu n'as jamais subi de défaite. Vas-y, fonce !

Jean se trouve lui-même ridicule de ne pas profiter de la léthargie de son adversaire pour triompher en quelques touches bien placées. Mais d'un autre côté, il sait qu'il n'acceptera jamais de gagner de cette façon. L'arbitre demande à Bourelle de cesser de faire le guignol et de se battre avec plus de sérieux. Le combat reprend. Soudain, l'attention de Jean est attirée par une lueur bleue en provenance de la cape de Julien, sur le banc des joueurs. Surpris, il baisse sa garde et Julien en profite pour lui asséner un violent coup du plat de l'épée. Rien à voir avec une vraie frappe d'épéiste. Déstabilisé, Jean plie le genou. Six à cinq. La cloche sonne le deuxième temps d'arrêt.

Jean observe son adversaire qui se dandine devant son entraîneur.

— J'ai mal au ventre. Je peux y aller ? demande Julien.

— Tu as une minute. Dépêche-toi !

À toute vitesse Julien ramasse un objet qu'il entoure d'une serviette et se précipite vers les toilettes. Jean est intrigué. Depuis quand Julien sort-il de la piste sans son éternel manteau noir sur le dos ? Vraiment trop étrange ! Et cette lueur bleue qui a attiré son attention ? Cela lui rappelle vaguement… non, c'est impossible ! pense-t-il. Et pourtant…

Jean demande aussi la permission de sortir et rejoint son adversaire aux toilettes. Lorsqu'il ouvre la porte, Julien lui tourne le dos et cherche à cacher quelque chose sous sa serviette. D'une voix incertaine, Bourelle demande :

— Qu'est-ce que tu veux ?

— Je peux voir ce que tu caches derrière ton dos ?

— Non… c'est que… je ne cache rien.

La voix, l'indécision, la peur aussi. Décidément, ce n'est pas Julien ! Des souvenirs explosent dans la mémoire de Jean et il se revoit, quelques années plus tôt, dans la même situation. D'une voix plus douce, il dit :

— Je sais ce que tu caches. Et tu n'es pas Julien, non plus. Comment t'appelles-tu ?

L'autre ne répond pas, mais Jean peut voir qu'il a visé juste.

— L'objet, c'est un atlas, un livre avec des cartes. Je m'en suis déjà servi. Montre-le-moi.

En tremblant, le garçon découvre l'objet et dit dans un seul souffle :

— Je ne l'ai pas volé, je te le jure. Et je m'appelle Jules, Jules Eiffel. Je voulais aller à Disneyland. Je ne comprends pas ce que je fais ici.

Jean prend l'objet dans ses mains et sent une grande émotion l'envahir. L'atlas. Le mystérieux recueil de cartes géographiques avec sa couverture de bois sculptée et ses dorures. L'atlas qui l'a amené dans des voyages fantastiques et périlleux. L'atlas qui a disparu de sa vie lorsque Juan, l'Atlante, est venu le récupérer pour le réparer. L'atlas est de retour ! Pour changer la vie de quelqu'un d'autre, de ce Jules, arrivé sans avertissement dans le corps de Julien Bourelle, au milieu d'une importante compétition d'escrime. Mais pourquoi Jules a-t-il atterri ici, alors qu'il voulait se rendre à Disneyland ? L'atlas serait-il encore détraqué ?

— C'est ton premier voyage ? demande Jean.

— Oui... je ne sais pas quoi faire. Je suis pris au milieu d'un duel de sabre...

— ... d'épée, corrige Jean en caressant la surface du livre, là où la lance du sieur de Forêt Noire a presque transpercé la couverture de bois. Il ne reste maintenant plus qu'un trou de la grosseur d'une pièce de dix sous.

— Je sais, tu ne devrais pas être ici. Tu as pris la place de Julien Bourelle et, jusqu'à ce que tu partes, tu devras faire ce que faisait Julien Bourelle, c'est-à-dire te battre.

— Mais je ne peux pas. Je veux partir d'ici. Ce foutu truc ne fait pas ce que je lui demande.

— Hé ! doucement, l'ami, dit Jean. Cet atlas, ce n'est pas une lampe que tu frottes pour qu'un génie apparaisse et exauce tes vœux. C'est le plus surprenant moyen de transport et de découverte qui soit. Tu lui dois un grand respect. Maintenant, sais-tu au moins comment réactiver l'atlas ?

— Le réactiver ? questionne Jules, les yeux écarquillés. Qu'est-ce que ça veut dire ? Lorsque je suis parti, je n'ai eu qu'à mettre le doigt sur une carte.

— Il s'est activé dans l'armoire aux portes sculptées. C'est un peu comme le portail dans *La porte des étoiles*.

Jules considère Jean avec un regard chargé d'émerveillement et de stupeur. Au même moment, on cogne à la porte. L'arbitre passe la tête par l'ouverture et demande :

— Hé ! les garçons, qu'est-ce que c'est que cette plaisanterie ? Le temps d'arrêt réglementaire est d'une minute. Vous voulez que je vous élimine de la compétition ?

— S'il vous plaît, monsieur l'arbitre, laissez-nous encore une minute, répond Jean en cachant Jules et l'atlas avec son corps. Ce ne sera plus très long.

Puis, lorsque la porte se referme, Jean chuchote :

— Bon, j'aurais aimé avoir plus de temps pour discuter avec toi, mais on nous attend. Le vrai Bourelle et moi. Tu

44

dois vite repartir. Écris tes souvenirs sur la page blanche et va-t'en d'ici afin que Julien puisse reprendre le combat. Je crois qu'il mourrait de honte s'il perdait la finale parce que quelqu'un d'autre a emprunté son corps.

Pendant que Jules écrit le peu de souvenirs que ce voyage lui a laissé, Jean pense qu'il serait facile de gagner le duel avec Jules comme adversaire. C'est tentant, mais vu sous un autre angle, il n'aurait aucune gloire à remporter le championnat de cette façon. Son père, qui a joué dans *Le Cid* de Corneille, lui a répété si souvent qu'*À vaincre sans péril, on triomphe sans gloire...*

Quelques secondes plus tard, le livre devient lumineux, d'un bleu couleur ciel d'été, et il dégage une douce chaleur au toucher. Jean a un pincement au cœur. Il n'y a pas si longtemps, c'est lui qui partait pour l'aventure, pour l'inconnu, avec un grand I. Il était allé en Afrique, au Klondike, sur l'Atlantide, le continent disparu, en Égypte à l'époque de Cléopâtre et dans l'espace à la recherche de l'atlas perdu, puis, parce que l'atlas s'était détraqué, il avait participé à une joute de chevaliers dans le corps d'une fille, avait expérimenté l'étrange sensation d'être un arbre, pour finir dans la peau d'une panthère, rien de moins. Chaque voyage l'avait marqué, le faisant grandir. S'il le pouvait, il repartirait. Mais il sait très bien que c'est impossible. Sa vie est ici, maintenant. Et l'atlas est en train de changer la vie d'un autre garçon comme lui.

— Choisis ta carte et plonge, Jules. Je suis très heureux d'avoir fait ta connaissance et d'avoir pu revoir l'atlas.

Jules le remercie et choisit la carte du Grand Nord canadien. Il pointe le pôle Nord en disant, un peu embarrassé :

— J'ai toujours eu le goût de voir l'atelier du vrai père Noël.

Jules touche la carte du bout du doigt, puis, fronçant les sourcils, presse plus fort. Rien ne se produit. Il appuie de nouveau, un peu partout, puis change de carte, frustré. Il essaie encore à plusieurs reprises avant de mettre l'atlas entre les mains de Jean, découragé.

— Je te l'avais dit qu'il ne fonctionnait pas, ton truc.

Jean examine l'atlas. Il est pourtant bleu, d'un bleu voyage, le même bleu que lorsqu'il réussissait à partir. Il inspecte les cartes, une à une. Il en reconnaît plusieurs alors que d'autres sont nouvelles.

Rien ne cloche. Puis une carte attire son attention, celle de l'Afrique, la même qu'il a utilisée pour effectuer son premier voyage. C'est une carte très ancienne, en papier parchemin et dont les bords s'effritent. De drôles de bonshommes sont dessinés dans les quatre coins. Le village de Kananga y figure toujours, à un détail près, pourtant : le point est illuminé. Jean sourit en disant :

— Je crois que l'atlas veut te faire connaître mon ami N'Juno, l'Africain. Mets ton doigt là, précisément sur ce point.

Jules fait ce que Jean lui demande, mais rien ne se passe. Jean n'y comprend rien. Il s'impatiente :

— Voyons, Jules, mets ton doigt comme ÇA !

À peine le doigt de Jean a-t-il effleuré la page que sa main, son bras et bientôt tout son corps sont attirés dans l'atlas. Pendant quelques secondes, Jean est incapable de bouger. Il traverse un long tunnel lumineux en reconnaissant la sensation à la fois affolante et excitante de voyager dans l'atlas. Des lumières défilent devant ses yeux, puis s'éteignent subitement.

L'obscurité, la chaleur et les odeurs d'humus et de végétation envahissent tous les sens de Jean. Serait-il de nouveau en Afrique ? Comment cela se fait-il ? Pourquoi l'atlas a-t-il fait une aussi grosse erreur en l'envoyant en Afrique, lui, plutôt que Jules ? Incompréhensible !

À moins que…

La seule explication logique qui vient à l'esprit de Jean et qui pourrait élucider le comportement extraordinaire de l'atlas, c'est que l'atlas le voulait, lui, Jean Delanoix et non pas Jules Eiffel.

Mais pourquoi ?

Deuxième partie

Kananga, prise deux

Chapitre 1

Quel caractère,
cette Mambella !

Lorsque Jean se réveille, il ne comprend pas tout de suite ce qui se passe autour de lui. Il a très chaud et il sent son corps tout courbaturé. Sans doute à cause de la compétition, pense-t-il. Mais qui a gagné la finale ? Il ne se souvient même pas de l'avoir terminée. Dans l'obscurité, il touche ce qui lui tient lieu d'oreiller. Ses doigts se promènent sur une surface dure comme du bois et découvrent des lignes, des courbes, un trou.

L'atlas ! Il a voyagé dans l'atlas ! C'est lui que le livre magique a accepté, et non Jules. Pourquoi ? L'atlas a commis une erreur, c'est certain.

Jean se concentre sur les bruits, les odeurs, la lumière qui perce au travers des murs de paille. Les souvenirs lui reviennent en bloc : il est en Afrique ! Peut-être a-t-il emprunté de nouveau le corps de N'Juno Mobasso, habitant du village de Kananga, en plein cœur du Congo. À la différence près qu'il est seul dans la hutte, alors que, la première fois, une famille complète l'observait en riant. Cette fois-là, il se rappelait n'avoir vu, à son grand étonnement, que des yeux et des dents blanches.

Au moment de soulever la couverture qui sert de porte à la hutte, les images de son cauchemar reviennent le hanter : les trafiquants d'esclaves, les habitants du village emprisonnés dans des cages, les bateaux qu'on chargeait d'esclaves pour les amener de l'autre côté de l'océan. Jean suffoque, soudain conscient d'une vive douleur au dos, comme si on lui arrachait la peau. Comme dans son rêve. Il pousse un gémissement :

— Non ! ce serait trop horrible si c'était vrai !

52

Il soulève un coin de la couverture et scrute avec inquiétude l'extérieur. Le soleil est déjà haut dans le ciel et darde ses rayons brûlants sur la place du village. Pas de huttes enflammées, pas de corps sans vie au milieu du chemin. Aucun mouvement, pas un bruit, sinon le caquètement des poules, le grésillement des grillons et le son sourd des pilons qu'on abat pour moudre le grain.

Soulagé, Jean risque un pied hors de la hutte, pour aussitôt la réintégrer. Il ne peut pas se promener dans tout le village, l'atlas sous le bras. Pas cette fois. À son premier voyage, il s'était rendu compte que le livre attirait beaucoup trop de questions. Mais il repense à son cauchemar et se dit qu'il vaut mieux ne pas s'éloigner du précieux livre, au cas où un problème surviendrait et qu'il doive partir rapidement. Jean commence à fouiller les possessions de N'Juno. Un pagne, un arc et des flèches, une fronde, une lance, une calebasse, un matelas de paille et un sac en tissu contenant un peigne et un miroir. Puis, suspendue au plafond, il découvre une gibecière en cuir, juste assez grande pour y mettre l'atlas. « Ce sera parfait ! pense-t-il. Mais je devrai aussi trouver de la suie ou des pigments de couleur, afin d'en faire une encre pour écrire mes souvenirs. Cette fois, je ne serai pas pris au dépourvu. »

En sifflotant, Jean sort de la hutte. Il remarque aussitôt qu'il porte un pagne et que son corps a beaucoup grandi depuis sa dernière visite. Ses bras et son torse sont décorés de tatouages, mais également de cicatrices profondes. Il fait jouer ses muscles avec plaisir. Wow ! Il est presque un homme ! Quelle chance !

Sa hutte, ainsi qu'une dizaine d'autres habitations semblables sont situées un peu à l'écart de la place principale. Lors de son premier voyage, Jean avait remarqué ces cases différentes, plus petites, sans comprendre à quoi elles servaient. Maintenant, il imagine que ce sont les cases des jeunes hommes célibataires. Les huttes familiales, quant à elles, entourent la place du village et sont beaucoup plus grandes. De nombreux enfants y jouent bruyamment, sous la surveillance des grand-mères. Dans ses souvenirs, N'Juno était l'aîné de sa famille et il avait au moins sept frères et sœurs plus jeunes. « Peut-être que ma mère africaine a eu d'autres enfants, depuis ? pense-t-il. Quelle différence avec ma vie au Québec ! »

Les hommes plus âgés, ceux qui ne sont pas aux champs ou partis chasser, sont assis à l'ombre du manguier et discutent en fumant ou en jouant avec des osselets blanchis. Jean contourne la place et s'avance sur un sentier qu'il se rappelle avoir suivi lors de sa première visite. Après avoir marché quelques minutes, il aboutit dans une clairière où six jeunes garçons surveillent des chèvres qui broutent l'herbe drue de la savane. Plus loin, près de la rivière, des femmes travaillent dans une rizière à repiquer les plants de riz. Plusieurs portent des bébés sur le dos. Elles chantent et rient.

Tout est si paisible, si semblable à son premier voyage. Rien à voir avec son cauchemar.

Alors pourquoi l'atlas l'a-t-il envoyé ici ? Pourquoi lui a-t-il fait prendre la place de Jules ? De retour à sa case, Jean sort l'atlas de la gibecière et l'examine attentivement. Les dorures de la couverture reflètent les rayons du soleil. Il promène ses doigts sur le bois sculpté. Il l'a fait si souvent durant ses voyages qu'il en connaît les motifs par cœur. C'est bon d'être de nouveau un explorateur, pense-t-il, même s'il ignore pourquoi l'atlas l'a ramené en Afrique. Il range le livre au moment où il entend un craquement derrière lui. Il se relève vivement, en adoptant une position de combat.

— Hé ! N'Juno ! Tu t'es levé bien tôt, ce matin ?

La jeune femme qui parle sur un ton moqueur ressemble à s'y méprendre à celle de son rêve. Grande, mince, elle porte des boucles d'oreilles en or et des bracelets de verre aux poignets et aux pieds. Jean hésite, intimidé :

— Mambella ?

Piquée au vif, la jeune fille s'emporte :

— Combien as-tu de fiancées dont tu dois te rappeler le nom, N'Juno Mobasso ? Tu fais bien de répondre une seule, sinon je te fais subir le châtiment de la termitière, à moins que je dépose une mygale dans ton pagne ou que je t'attache à l'arbre aux fourmis rouges ! Tu me reconnais, maintenant ?

— Oui, oui, Mambella ! La mémoire m'est revenue très vite, articule Jean en frémissant au souvenir de la veuve noire de son cauchemar. Une mygale, c'est moins dangereux, mais c'est beaucoup plus gros. Et poilu ! Et les fourmis rouges et les termites, ce n'est pas un souvenir qu'il aimerait rapporter au Québec. Il ajoute :

— Je blaguais, Mambella...

56

Jean examine de nouveau les huttes, le manguier au milieu de la place et les villageois qui vaquent à leurs occupations. Tout a l'air si calme que l'adolescent se demande comment il a pu rêver un scénario aussi atroce.

— N'Juno, as-tu quelque chose pour moi ? demande Mambella en se pavanant devant lui, les yeux aguichants et le sourire enjôleur.

Jean rougit et détourne les yeux. Jamais une femme ne s'est trémoussée ainsi devant lui. Peut-être que cela plaît à N'Juno, mais pas à lui. Pas encore, du moins.

— Euh… je ne sais pas… Devrais-je avoir quelque chose à te donner ? demande-t-il, embarrassé.

Mambella lui fait de gros yeux. Puis elle se rapproche encore et remue ses bras à la hauteur du visage de Jean, en exécutant des mouvements qui font s'entrechoquer ses bracelets de verroterie.

— Où as-tu eu ça ? demande Jean qui se rappelle soudain avoir vu des bracelets semblables lors de ses recherches sur l'esclavage.

— Là même où tu as acheté le miroir et le peigne en ivoire. C'est pour moi, n'est-ce pas ?

— Attends… j'ai un trou de mémoire, feint-il. Redis-moi où tu les as eus, s'il te plaît.

— Voyons, N'Juno, tu ne te rappelles pas l'étranger qui est venu au village, la semaine dernière ? Il a apporté quantité de cadeaux, des bracelets, des colliers, des chaudrons en fer, des couteaux. Ces derniers ne valent rien, mais ils sont si jolis. Il avait des cadeaux pour tout le monde.

— C'était un Blanc ?

— Un Blanc, tu veux dire un toubab[5] ? Jamais de la vie ! Il n'aurait pas pu approcher le village à moins d'un jour de marche. Rappelle-toi, l'homme était aussi foncé que nous tous.

— Et c'est normal, selon toi, que quelqu'un arrive dans un village avec des cadeaux pour tout le monde ?

— Pour une fois que ce n'est pas le chef qui les reçoit. Toutes les femmes ont reçu de beaux morceaux de tissus, et les jeunes hommes des bijoux pour leur fiancée. Toi-même, tu en as eu. Tu ne te rappelles pas le peigne et le miroir ? Voyons, N'Junino, tu as dû passer trop de temps au soleil pour ne plus te souvenir de ça et

---

5. Nom donné aux occidentaux par les Africains.

de ce qui s'est passé après, ajoute-t-elle en lui caressant le bras.

Jean se dégage, mal à l'aise. Il n'aime pas ce qu'il vient d'entendre. Un étranger qui arrive de nulle part et qui distribue des cadeaux, ce genre de cadeaux surtout, des bricoles qui ne valent rien, mais dont s'encombraient les Blancs qui voulaient marchander avec les habitants des villages, ce n'est pas normal. Un vendeur itinérant, peut-être ? Non, il n'aurait pas donné sa marchandise.

— Que vous a-t-il demandé en échange ? A-t-il dit quand il reviendrait ?

— Je ne réponds plus à tes questions tant que tu ne me diras pas pour qui sont le peigne et le miroir.

— Ah ! satané peigne ! s'emporte l'adolescent, c'est pour ma mère. Voilà, tu es contente, là ?

— Mauvaise réponse ! lance Mambella, furieuse. Tiens, ton déjeuner, môssieur-trou-de-mémoire !

Elle dépose brusquement la calebasse de semoule dans les mains de Jean et s'éloigne à grands pas en bougonnant. En arrivant près des cases familiales, Mambella change d'idée et revient vers Jean. Elle se plante devant lui, les poings sur les hanches :

— Et pour te rafraîchir la mémoire, tu sauras qu'il nous a tous regardés, mesurés, et qu'il m'a trouvée fort jolie, car il m'a même fait danser devant lui. Et il a pris des notes dans un livre à la couverture de bois sculptée…

— Un livre à la couverture de bois sculptée ? l'interrompt Jean, figé par ce qu'il vient d'entendre.

— Oui, avec des motifs, des soleils, des étoiles. Le livre brillait à la lumière. C'est pour un recensement, qu'il a dit. Et je n'accepterai pas tes excuses à moins qu'elles ne s'accompagnent d'un peigne…

— … et d'un miroir, oui, je le sais ! conclut Jean en la regardant partir, les yeux arrondis par l'incompréhension.

« Une couverture de bois sculptée ? Non, ce n'est pas possible ! gémit Jean en prenant l'atlas dans ses mains. Ça ne peut pas être l'atlas. Comment un trafiquant sans scrupules aurait-il pu se trouver en possession d'un objet aussi exceptionnel ? Non, il doit exister d'autres livres qui ont une couverture en bois. À mon époque, c'est plutôt rare, mais dans celle de N'Juno, c'était peut-être plus fréquent, vu qu'ils n'avaient pas de carton. Ça doit être l'explication. Pourtant, Mambella a parlé des motifs et des dorures avec précision. »

60

Malgré la chaleur, il sent une onde glacée lui traverser le corps. L'atlas devient soudain très lourd dans ses mains. Et la peau de son dos brûle comme si on venait de le marquer au fer rouge. Comme dans son rêve. Ce n'était peut-être pas un rêve après tout. Plutôt comme une prémonition, une façon de vivre les événements avant qu'ils arrivent vraiment. Après tout, les pouvoirs de l'atlas sont assez remarquables pour lui faire subir une expérience aussi étrange...

Chapitre 2

Mort suspecte

Soudain, le village s'anime. Le *djaliba*[6] fait résonner son tam-tam, auquel répondent les tambours des villages voisins. Les hommes, qui étaient aux champs, envahissent alors la place et parlent tous en même temps. Les femmes se lamentent en poussant de grands cris de douleur. Jean court les rejoindre, l'estomac noué par l'angoisse.

---

6. Joueur de tam-tam qui assure la communication entre les différents villages.

Mais il est vite repoussé vers l'arrière, où, comme le veut la coutume, il s'installe avec les adolescents de son âge, derrière les hommes, qui eux-mêmes attendent avec respect derrière les aînés. Cependant, de l'endroit où il se tient, Jean ne peut voir que des têtes. Il demande :

— Qu'est-ce qui se passe ?

Un garçon, Noumbé, le regarde avec un air féroce et lui répond :

— Où étais-tu, N'Juno, ce matin ? Tu faisais encore la cour à Mambella au lieu de chasser pour le village ? Laisse-la tranquille, elle n'est pas pour toi.

— Tu n'as pas entendu le tam-tam ? lui dit un autre. Il me semble qu'il tape assez fort pour que tu comprennes.

Un troisième rajoute :

— C'est sûrement la mouche tsé-tsé qui l'a piqué. Regardez, il a encore les plis de sa paillasse imprimés dans la figure.

Jean grogne et se détourne, frustré. Non, il n'était pas à la chasse ce matin, il défendait son titre au championnat québécois d'escrime. Et non, il ne comprend rien au message tambouriné par le *djaliba*. Lui, son truc, c'est Internet, les courriels et le clavardage. Drôlement plus rapide que le tam-tam ! Mais cela, il ne peut pas le leur dire, car il n'est pas

Jean Delanoix, ici, mais N'Juno Mobasso. Il respire un bon coup pour se calmer et décide de jouer d'astuce.

— Les gars, c'est vrai que j'ai dormi un peu trop longtemps ce matin, mais j'ai découvert des choses très étranges. Il faut vite que je vous en parle. Venez dans ma hutte, je vous y attends.

Il tourne les talons, les laissant sur leur appétit. Mais avant de regagner sa case, il est bien décidé à découvrir ce qui a transformé ce village si paisible en une ruche bourdonnante. Il grimpe à un arbre voisin du manguier et, de là, il voit qu'on a apporté le corps d'un jeune homme dans la vingtaine. Jean tend l'oreille pour saisir des bribes de conversation :

… Lathoula est tombé d'un arbre… piqué par une abeille… mort sur le coup… funérailles demain…

Jamais l'adolescent n'a vu un mort d'aussi près. Si ce n'étaient des cris et des lamentations des pleureuses, on pourrait presque croire que l'homme dort. Dans son cou, cependant, une énorme bosse a poussé. Il devait être allergique au venin de l'abeille, pense Jean en frissonnant.

Au bout d'une demi-heure, la foule commence à se dissiper, chacun retournant à ses activités. Jean attend un peu et va examiner le corps de plus près. À l'endroit de la bosse, qui a diminué un peu, il remarque une pointe noire, beaucoup plus longue qu'un dard d'abeille. Il n'ose pas y toucher, car il est presque assuré qu'elle est empoisonnée. Lorsqu'il relève la tête, Jean croise le regard du chef Wokabo, qui observe aussi la bosse d'un air soucieux. L'adolescent retourne à sa case en réfléchissant. Sur le chemin, il voit Nîmo, Noumbé et quelques autres garçons qui discutent entre eux. Il les rejoint :

—Les gars, je dois vous parler. Il va se passer des événements très graves ici. Il faut faire quelque chose avant qu'il ne soit trop tard.

Les garçons haussent les épaules et s'éloignent. Nîmo regarde N'Juno droit dans les yeux et secoue la tête :

—N'Juno, reviens sur terre et cesse de rêver.

—Nîmo, toi au moins, écoute-moi. L'homme qui est venu avec des cadeaux, c'est un marchand d'esclaves. Il va revenir, mais cette fois pour emmener les hommes, les femmes et les enfants. Il tuera tous ceux qui résisteront et il brûlera le village.

—N'Juno, cet homme est un marchand. Il veut faire du commerce avec nous. S'il vient avec d'autres hommes et s'ils ont de mauvaises intentions, nous les combattrons. Nous sommes de bons guerriers.

Loin de se décourager, Jean s'adresse aux hommes plus âgés et répète ses avertissements, mais personne ne veut l'écouter. Lorsqu'il ajoute que l'accident n'en est pas un, que ce n'est pas une piqûre d'abeille qui a tué Lathoula, on lui rit au visage. Frustré, il retourne à sa case et sort l'atlas de la gibecière.

— C'est décidé, je pars d'ici. Personne ne veut m'écouter. On me prend pour un rêveur, un illuminé. Ils ont raison, après tout. Il ne se passera rien dans ce village perdu au beau milieu de l'Afrique. L'atlas s'est trompé… encore une fois.

Il ouvre l'atlas à la page de l'Afrique et prépare son encre pour écrire ses souvenirs sur la page blanche. À l'aide d'une plume d'oiseau dont il a taillé la pointe en biseau, il commence à écrire :

Kananga, prise 2. Aujourd'hui, je me suis promené dans le village, j'ai rencontré la fiancée de N'Juno et j'ai vu un jeune homme qui venait de mourir. On a ri de moi lorsque j'ai voulu expliquer qu'un grand malheur allait s'abattre sur le village. L'atlas m'a envoyé ici par erreur, alors je m'en vais.

Jean souffle sur l'encre pour la faire sécher, mais au lieu de s'assécher, le texte qu'il vient d'écrire disparaît. Furieux, il réécrit les phrases qui disparaissent de nouveau.

— Foutu atlas ! hurle Jean, hors de lui. C'est la vérité, pourtant, ce que j'écris !

Découragé, il passe sa main sur la carte de l'Afrique. Tout à coup, il sursaute de douleur. Éberlué, Jean scrute la carte avec attention. Le point indiquant le village de Kananga est en train de brûler, comme si quelqu'un avait monté un bûcher et y avait mis le feu. La flamme s'éteint aussi vite qu'elle a commencé pour laisser place à un minuscule nuage de fumée. Lorsqu'elle se dissipe, il ne reste plus rien. La carte est propre, sans aucune marque de brûlure, mais aussi sans trace du point indiquant la présence du village ou de son nom. Rien !

Le village de Kananga vient d'être rayé de la carte…

Jean referme l'atlas en tremblant. Il devient fou, c'est certain. Il remet le livre maléfique dans la gibecière et la suspend au plafond. Toute son intelligence et sa raison lui recommandent d'oublier ce mauvais rêve, mais une petite voix, une voix si faible qu'il pourrait facilement l'ignorer, lui murmure que c'est pour cette raison que l'atlas l'a envoyé à Kananga : pour empêcher que le village ne soit détruit. Comme un somnambule, et bien qu'on soit en plein après-midi, Jean installe sa natte et se couche. Plus dérouté que jamais.

Aussitôt qu'il ferme les yeux, il est bombardé par des images qui se déroulent à toute vitesse. Il voit le chef Wokabo qui reçoit une fléchette empoisonnée, les funérailles auxquelles assistent des centaines de personnes, dont plusieurs personnages importants venus des villages voisins, l'homme aux cadeaux parmi les invités, les Blancs qui attaquent, les fusils qui tuent, le village qui brûle, la longue file d'hommes enchaînés, les femmes qui suivent en pleurant, les enfants attachés par la main qui cherchent leurs parents, les vieux qui gémissent devant les cases éventrées et lui, N'Juno, Jean, assis au milieu de tout cela, les bras croisés, le visage fermé.

Il s'entend demander :

— Mais qu'est-ce que je pouvais faire de plus ? Personne ne voulait m'écouter.

Puis une nouvelle série d'images apparaît : lui, au milieu des gens du village, en pleine crise de démence, le sorcier avec ses amulettes, le chef faisant oui de la tête, le *djaliba* tambourinant des messages, les hommes coupant les arbres tout autour du village, montant des barricades et une grande tour, le forgeron fabriquant des lames, et... Mambella.

— Mambella ? Pourquoi Mambella ?

Les images disparaissent aussi soudainement qu'elles sont apparues. Jean est trempé de sueur et incertain d'avoir compris le message. Sera-t-il à la hauteur de ce que lui demande l'atlas ? La seule chose dont il est sûr, c'est que, s'il ne tente rien, ce n'est pas à bord de l'atlas qu'il repartira, mais dans un bateau, enchaîné.

Comme esclave.

Chapitre 3

La transe

Lorsque Jean se réveille, le soleil a commencé à descendre sur l'horizon. Au travers de l'ouverture de sa case, il voit que les habitants du village ont terminé de prendre leur repas du soir et se rassemblent pour les funérailles de Lathoula. Il dévore en vitesse le contenu de la calebasse que lui a préparée Mambella, une soupe de poisson avec du maïs, puis se joint aux jeunes de son âge. Il ne leur dit rien, ne les regarde même pas. La cérémonie se déroule dans la tristesse, Lathoula était l'aîné d'une famille nombreuse, un bon guerrier et un chasseur habile.

Puis, au moment où tous regagnent le couvert du manguier où on a allumé un grand feu, Jean s'avance vers le chef et s'effondre, sans connaissance. Surpris, les villageois font cercle autour de lui et le silence s'installe. Jean commence à trembler de tout son corps, puis des mouvements désordonnés secouent ses membres. Tous reculent, effrayés. On entend :

— N'Juno Mobasso est possédé par un mauvais esprit.

— Non, c'est l'esprit de Lathoula qui veut nous parler.

— Sorcier, fais quelque chose pour lui !

Le sorcier avance dans le cercle et vide par terre le contenu de son sac : ergots de coq, dents de lion, corne d'antilope, peau de serpent, os de zébu, poudres, cailloux, poils de toutes sortes. Le sorcier enfile à ses poignets des bracelets où sont attachées des queues de serpents à sonnettes. Il saisit également la peau de serpent et la secoue au-dessus de la tête de N'Juno en invoquant l'esprit de l'animal. Puis, d'une voix forte, il déclare :

72

— Parle, esprit, nous t'écoutons. Ou sors de ce corps.

— Je vois… malheur… grand malheur ! murmure N'Juno d'une voix éraillée, en tremblant de tout son corps. Ce village connaîtra le malheur…

Les villageois sursautent et se rapprochent les uns des autres, inquiets. Le sorcier agite toujours sa peau de serpent et ses bracelets en disant :

— Parle encore, esprit du serpent. Parle, nous t'écoutons.

— Je vois… notre vaillant chef qui meurt…

— Quand ? Comment ? questionne le chef Wokabo, soudain alarmé.

— … une piqûre au cou… bientôt… de grandes funérailles, beaucoup de gens au village.

De l'arrière, on peut entendre Noumbé rire entre ses dents et dire :

— Ouais, il ne nous la fera pas celle-là, le p'tit N'Junino. Il veut faire l'intéressant auprès de la belle Mambella !

— NOONNN ! hurle tout à coup N'Juno, les yeux révulsés. Je vois… l'homme aux cadeaux… il a amené avec lui des toubabs… le feu au village… NOOONN ! Il tire avec son bâton de feu, des hommes meurent… Je vois… il cap-

ture les hommes, les femmes, les enfants… des chaînes au cou… tout ce qui
reste est détruit… la longue marche, le
fouet, le bateau-prison.

— Les toubabs veulent nous manger ?
demande quelqu'un, d'une petite voix où
perce la peur.

— NOONNN ! Je vois… les esclaves… traités comme des bêtes, dans
un pays lointain, de l'autre côté de l'étendue d'eau sans fin.

— Mais il n'y a rien de l'autre côté de
l'eau sans fin. Il n'y a que le vide… déclare le griot du village.

— … et des monstres sanguinaires
qui avalent les bateaux, rajoute un aîné.

— Écoutez ! crie N'Juno. Je vois… de
grandes étendues de terre et des gens qui
y habitent. Je vois… ces gens chassés et
tués par les toubabs, et le peuple d'Afrique
les remplace pour travailler.

— Mais qu'est-ce qui nous prouve que
tu dis la vérité, N'Juno ? demande à nouveau l'aîné. On a besoin de preuves.

— Je vois… la piqûre qui a tué Lathoula… pas une abeille… mais une fléchette… le chef le sait.

Tous les habitants du village se tournent vers Wokabo. Celui-ci avance au milieu du cercle et sort un morceau de tissu

d'une sacoche de cuir pendue à son cou. Il déplie le tissu et montre une minuscule fléchette.

—N'Juno dit vrai. Lathoula a été tué par cette fléchette empoisonnée. Seuls les habitants du bord de l'eau sans fin utilisent de telles armes. Si les visions de N'Juno se réalisent, le village de Kananga n'existera plus.

Les villageois se mettent alors à parler tous en même temps. Le chef réclame le silence.

—Oh, esprit immortel du serpent, que pouvons-nous faire pour éviter ce malheur ? demande le sorcier en agitant ses sonnettes au-dessus de la tête de N'Juno qui continue à trembler.

—Je vois… le *djaliba* qui avertit les villages voisins… méfiance envers les étrangers… je vois le chef Wokabo protégé par ses guerriers… une palissade autour du village… une haute tour pour le guet… des épées pour se battre.

—Des épées ? questionne un homme. Mais nous n'en avons pas et personne ne sait se battre à l'épée.

—Je vois… le forgeron qui forge les épées… et N'Juno qui vous enseigne à les manier… Faites-lui confiance.

76

Dans le silence qui suit, N'Juno se remet à trembler plus fort et, après deux ou trois sursauts, il arrête de bouger. Le sorcier cesse d'agiter ses sonnettes et la peau de serpent et recule. N'Juno ouvre les yeux, essuie la sueur qui perle sur son front et s'assoit. Là seulement, il paraît remarquer les villageois qui le regardent, éberlués, le sorcier qui ramasse ses instruments et le chef qui semble perdu dans ses pensées.

— Qu'est-ce que je fais ici ? murmure N'Juno.

— Tu ne te souviens pas, mon garçon ? demande le chef. Tu as eu des visions.

— Des visions ? Des visions de quoi ? Je ne me souviens d'un serpent… Pourquoi le sorcier est-il là ? questionne-t-il de nouveau, inquiet.

— Nous en reparlerons, N'Juno, dit le chef.

Puis, d'une voix forte, Wokabo ajoute :

— Renforcez la garde, je veux deux hommes à chaque poste. Réunion du conseil des anciens, demain matin, à la première heure. N'Juno, tu viendras aussi, tu dois être mis à l'épreuve. Allez vous reposer maintenant.

Tous retournent à leur case, en s'écartant craintivement pour laisser passer

N'Juno, celui au travers duquel parle l'esprit du serpent. Une fois rendu à sa hutte, Jean déroule sa paillasse et s'y étend. Il ne sait pas ce que veut dire « être mis à l'épreuve », mais il est trop épuisé pour y penser. Un grand sourire apparaît sur son visage lorsqu'il voit la gibecière luire d'une faible lueur bleutée. Il dit :

— Ça n'a pas été facile, sacré atlas de malheur, mais je crois qu'on va réussir, toi et moi !

Chapitre 4

La résistance s'organise

Le soleil n'est pas encore levé que le coq a déjà chanté. La brousse s'éveille aux cris des singes et des oiseaux, le village au bruit des pilons qui broient la semoule du matin. Jean se réveille, surpris d'être en aussi grande forme, après sa transe simulée de la veille, sa « danse du bacon », comme il l'appelle. Avant de sortir de sa case, il décide de jeter un coup d'œil à l'atlas.

La carte de l'Afrique est toujours là, imprimée sur du vieux papier parchemin. Surpris, Jean remarque que le point représentant Kananga est réapparu, ainsi que le nom du village, sauf que l'encre est à peine visible. Ce n'est pas encore gagné, songe-t-il.

L'adolescent referme l'atlas et le cache dans la gibecière. Il la laisse cependant accrochée au plafond de sa hutte. Il y a réfléchi cette nuit et il se dit que si quelqu'un reconnaît dans l'atlas le livre qu'avait en sa possession l'homme aux cadeaux, c'est peut-être lui, N'Juno, qu'on accusera de vol ou de complicité. Le danger est maintenant plus grand d'avoir l'atlas en sa possession que de le laisser dans sa case.

Lorsqu'il sort à l'extérieur, sa bouillie du matin l'attend. Il la mange assis sur ses talons, comme il a vu les autres hommes le faire. Les villageois qui passent le regardent avec un drôle d'air, hésitant entre la crainte, la jalousie et l'admiration. Jean garde les yeux rivés au sol, intimidé. Puis, après s'être lavé au puits du village, il approche du manguier où sont rassemblés les membres du conseil.

—Approche, N'Juno Mobasso, demande le chef.

À ce moment se lève Djoulé, un jeune homme d'une vingtaine d'années, grand et musclé. Il lance à N'Juno un bâton de bois d'environ un mètre sur lequel a été fixé en travers un plus petit morceau de bois. Cela ressemble, grossièrement, à une épée. Djoulé en a également une, qu'il tient comme s'il s'agissait d'une lance.

Jean secoue la tête et s'approche de Djoulé. Il prend l'épée de l'homme et la lui met correctement dans la main. Puis il s'éloigne un peu, se retourne et salue son adversaire. Jean commence aussitôt une série de mouvements tout en souplesse pour tester sa fausse arme, puis il attaque avec assurance et esquive toutes les tentatives maladroites de Djoulé. Les deux armes s'entrechoquent avec violence et Djoulé doit reculer sous l'assaut. Le conseil retient sa respiration. Au bout d'un moment, l'arme du jeune homme s'envole dans les airs et retombe quelques mètres plus loin, en deux morceaux.

— Où as-tu appris à te battre comme ça ? demande Djoulé, admiratif.

— Euh… je l'ignore. Je l'ai toujours su, j'imagine. Je peux t'apprendre, si tu le désires.

— N'Juno, déclare le chef Wokabo, je veux que tu dessines l'épée qui te conviendrait. Je t'enverrai ensuite avec Djoulé au village voisin où travaille le forgeron Nyo. Vous apporterez assez de fer pour forger vingt épées. Lorsque tu reviendras, tu entraîneras autant d'hommes.

— Je doute de la pertinence d'utiliser les épées, objecte un aîné en s'adressant à N'Juno. Que feras-tu lorsque le toubab lancera du feu avec son bâton ? Ton épée ne pourra l'arrêter.

Jean réfléchit un moment. Il essaie de se remémorer, durant ses entraînements, ce qui donnait l'avantage à l'épée par rapport à d'autres armes. Il sourit en pensant aux pirouettes, contorsions et plongeons de Zorro, qui devait se défendre contre les armes à feu. Puis il se rappelle une remarque dans ses recherches sur l'esclavage, alors qu'on disait que les armes données aux toubabs et aux traîtres qui les aidaient n'étaient pas de très bonne qualité et ne tiraient qu'un coup, parfois aucun.

— Non, en effet, répond-il, l'épée ne peut arrêter la balle du bâton à feu, mais ces armes ne tirent qu'un seul coup à la fois. Le tireur doit ensuite la recharger et cette opération prend un certain temps. Si on les laisse tirer le premier coup en restant caché, on pourrait alors engager le combat avec nos épées pendant qu'ils rechargent. Les épées ne seront qu'un complément aux techniques guerrières de notre peuple, un ajout qui causera peut-être une grande surprise à nos ennemis. Et c'est là-dessus qu'il faut miser.

L'aîné hoche la tête en signe d'assentiment. Soulagé, Jean salue le conseil et se retire avec Djoulé, son nouvel allié. Ensemble, ils organisent l'expédition. Tous les jeunes hommes sont mandatés pour rassembler le fer que contiennent les cases, ce qui n'est pas sans provoquer les hurlements des femmes qui se voient délestées de leurs couteaux, chaudrons et bibelots. Et pendant que le *djaliba* tambourine au forgeron du village voisin de préparer ses fours, cinq jeunes hommes chargés comme des mules prennent la piste qui mène au village de Kambouli, à trois heures de marche de là.

Deux jours plus tard, lorsqu'ils reviennent à Kananga avec vingt épées et quelques boucliers, Jean découvre la lisière de la forêt encombrée d'arbres abattus. Pourtant, personne n'y travaille. Arrivés aux premières cases, où commence la palissade en construction, ils trouvent le village en pleine effervescence. Toute la population entoure le *djaliba* qui transmet sans fin des messages auxquels Jean ne comprend rien. Mais ceux qui l'accompagnent ont l'air affolé.

— Qu'est-ce qu'il y a ? Qu'est-ce qu'il dit ? demande l'adolescent.

— Tu n'entends pas ? Le village de Kerouan a été brûlé, les habitants faits prisonniers. Il est à cinq jours de marche d'ici. L'esprit du serpent avait raison.

— Le serpent ? Quel serpent ? C'est moi…

Jean s'interrompt aussitôt. Il allait dévoiler son secret. Il reprend :

— Oui, le serpent avait raison. Quel malheur ! Et nous n'avons que cinq jours pour tout préparer, construire la palissade et la tour, et apprendre à nous battre à l'épée. Espérons que ce sera suffisant.

Le chef Wokabo prend la parole :

— Le temps presse. Nous devrons réduire la longueur de la palissade qui n'englobera qu'une dizaine de cases, tout au plus. Tous les habitants y seront logés en attendant que le danger soit écarté. Nous avons besoin de tous les bras disponibles pour la construire, ce qui veut dire, N'Juno, que les démonstrations d'épées

84

attendront au soir, si jamais il vous reste encore de l'énergie. Et je vous rappelle l'interdiction absolue de quitter seuls les abords du village, même pour vous rendre à la rivière ou aux champs. Allez ! Tout le monde au travail !

Jean et son groupe sont mis à contribution pour la construction de la tour. Un arbre solide et très haut est choisi, sur une butte surplombant le village. Les garçons grimpent ensuite à la façon des singes et coupent toutes les branches à l'exception de celles de la cime. D'en bas, Jean, qui ramasse les branches, les observe en riant.

— Ce n'est pas moi qui ferais ça ! murmure-t-il, ébahi par leurs prouesses.

— Non ? lui dit Djoulé en lui remettant des morceaux de bois et des racines tressées pour en faire de la corde. C'est pourtant toi, le plus mince et le plus agile, qui vas fixer la plate-forme. Tu es champion d'escalade à toutes les fêtes du village, l'as-tu déjà oublié ?

— Quoi ? sans corde ni harnais de sécurité ? Euh… bon, j'y vais, balbutie Jean en se demandant quelles autres surprises lui réserve N'Juno.

Lorsque tous les garçons sont descendus de l'arbre, Jean commence son ascension, les planches ficelées dans son dos. En s'aidant des chicots laissés par les coupeurs, il se retrouve bientôt à mi-hauteur. Il regarde en bas en imaginant la chute qu'il ferait s'il tombait, ce qui l'oblige à s'accrocher de toutes ses forces au tronc de l'arbre.

— Et c'est « ça » que Mambella veut épouser ? crache Noumbé, cinglant.

Jean replace les planches sur son dos et continue de grimper en serrant les dents, en se disant que c'est uniquement pour l'image de N'Juno qu'il le fait, parce que, si ce n'était que de lui, il y a long-temps qu'il serait descendu et qu'il au-rait provoqué Noumbé en duel.

« Tout ça pour une fille… Que c'est compliqué de grandir ! »

Pourtant, rendu au sommet de l'arbre, Jean ressent une immense fierté. Et un sentiment d'émerveillement, aussi. Aussi loin que porte son regard, c'est la jungle, d'un vert profond, interrompue ici et là par la savane et les champs cultivés. Tout près, la rivière déroule son ruban brun pâle ponctué du plumage blanc des grandes oies. Le village paraît minuscule, avec sa palissade qui fait maintenant un quart de cercle autour des habitations. Et un peu partout, des points noirs s'affairent comme des fourmis autour d'une fourmilière. Lorsque Jean redescend, la plate-forme complétée, le soleil ressemble à un énorme ballon rouge flottant au-dessus de l'horizon.

Chapitre 5

Leçons d'escrime et de vie

À la lueur de l'immense feu que les hommes alimentent pour éclairer la place du village, Jean distribue les épées aux jeunes villageois qui ont été choisis par le conseil. Pour éviter que les lames acérées blessent les novices, il les a recouvertes avec des feuilles de bananiers.

—Alignez-vous devant moi. C'est ça, sur la ligne que j'ai tracée au sol. Non, voyons, l'épée n'est pas une lance. Vous devez la tenir dans votre main la plus forte, comme cela. S'il vous plaît, on ne se bat pas tout de suite...

Pendant que Jean s'évertue à placer les nouveaux escrimeurs et à leur montrer les rudiments de l'épée, des remarques et des rires montent dans l'assistance. La voix de Noumbé se fait sarcastique :

— Regardez donc N'Juno qui se démène comme un chacal couvert de tiques. Il n'a jamais fait ça de sa vie et, tout à coup, il devient le maître. Il nous fait perdre notre temps en plus de gaspiller nos bons guerriers. Comme si une épée pouvait être plus efficace qu'une lance ou qu'un combat au corps à corps. Peuh !

Noumbé n'a pas été choisi par le conseil et Jean leur en est reconnaissant. Il espère seulement que quelqu'un le fera taire avant qu'il n'empoisonne le moral de ses troupes. Jean veut leur prouver qu'une épée bien maniée peut faire autant sinon plus de mal qu'une lance, car il compte sur l'effet de surprise et l'inexpérience de leurs adversaires. Il demande l'attention de ses élèves.

— Cette épée, vous l'aurez sur vous en tout temps. Elle sera votre meilleure amie. Trouvez-lui un nom. La mienne s'appelle Destinée. Servez-vous-en dès que vous aurez un moment de libre. La première chose que vous devez apprendre est à vous déplacer de façon à éviter l'arme de votre adversaire.

— Destinée ! Ha ! ha ! ha ! s'exclame à nouveau Noumbé. Et regardez ce peureux : il leur montre à agir comme le chacal qu'il est lui-même. Lorsqu'on est un vrai guerrier, on se jette sur l'adversaire.

Furieux, Jean se tourne vers Noumbé, et fonce, l'épée en avant. Il s'arrête, la pointe de Destinée à quelques millimètres de la poitrine de son rival. Mambella s'interpose :

— Ça suffit, les gars ! Toi, Noumbé, laisse-les travailler !

Noumbé s'avance, la main levée, prêt à gifler la jeune fille. Il croise alors le regard contrarié du chef Wokabo et s'éloigne, la tête remplie de désirs de vengeance.

Jean baisse les yeux, frustré de s'être laissé emporter par la colère. Il se secoue et poursuit sa démonstration. Après avoir montré à ses élèves la position des pieds et du corps, il leur explique que l'esquive est en fait une combinaison de pas de danse. La souplesse de ses élèves le surprend et, bientôt, chacun peut éviter la lame de son adversaire en se déplaçant, en esquivant, et en se contorsionnant. Lorsque les bras deviennent incapables de soutenir le poids de l'épée, Jean annonce la fin du cours.

— Nous avons bien travaillé. Cependant, si nous continuons à ce rythme, nous ne serons pas prêts à affronter nos ennemis. Demain matin, je vous veux ici dès le lever du jour.

Les jeunes se dispersent en emportant leur précieuse épée. Jean retourne à l'entrée de sa hutte, où Mambella l'attend.

— C'est bien, ce que tu fais. Je ne te connaissais pas ainsi. Tu es vraiment… différent depuis quelques jours. Est-ce que mon père t'a parlé ?

— Euh… ton père ? hésite Jean, ne sachant pas qui est le père de la jeune fille et ce qu'il aurait bien pu lui dire. Non, il ne m'a pas parlé. Au fait, merci d'être intervenue tout à l'heure. Noumbé menaçait de détruire l'unité de notre groupe.

— Tu dois le comprendre, il te déteste pour ce que tu as fait. Mais… pas moi, ajoute Mambella en se rapprochant de Jean.

— Euh… tu sais, je suis très fatigué et je dois me lever tôt. Alors… à demain, Mambella.

En rougissant, il dépose un baiser sur la joue de Mambella et disparaît dans sa

92

hutte. Le cœur battant, il écoute les pas de la jeune fille s'estomper dans la nuit en repensant à la phrase qu'elle vient de dire : « Il te déteste pour ce que tu as fait. » Qu'a donc fait N'Juno pour que Noumbé le déteste à ce point ? Doit-il se méfier de lui ? Pour l'instant, le chef et la majorité des habitants du village semblent de son côté, mais pour combien de temps ? Dans l'obscurité totale qui règne dans la hutte, l'atlas se met à luire faiblement. Rassuré par cette présence, Jean s'endort d'un sommeil sans rêves.

Le lendemain, au chant du coq, les vingt épéistes sont réunis à l'orée de la forêt. Les épées ont été débarrassées de leur fourreau et brillent sous les rayons du soleil levant. Noumbé, installé à cheval sur la branche d'un arbre, les observe en imitant le cri de la poule qu'on égorge. Jean décide de l'ignorer et commence aussitôt son enseignement :

—Imaginez que votre épée est une machette et que vous devez traverser cette forêt de bambous. Coupez, puis esquivez les tiges qui tombent. Rythme et force. Gauche, droite. Ne baissez jamais votre garde. N'oubliez pas qu'un ennemi peut se cacher derrière chaque arbre. Allez, compagnons, à l'attaque !

Pendant une heure, on n'entend plus que le bruit des lames sur le bambou et le halètement des jeunes hommes. Lorsqu'ils s'arrêtent, les mains couvertes d'ampoules, la lisière de la forêt est dégagée sur plusieurs dizaines de mètres autour du village. Le chef félicite Jean :

— C'est bien, N'Juno. Comme ça, on verra les ennemis arriver de loin. Toi et tes hommes, allez prendre votre repas et retournez à la construction.

En se dirigeant vers sa hutte en compagnie de Djoulé, Jean ne peut s'empêcher de remarquer le regard haineux de Noumbé posé sur lui. Au moment de quitter son ami, il lui demande son épée.

— Je vais l'affûter pour toi. Avec tout le bambou qu'on a abattu, on n'arriverait même pas à couper une tranche dans la fesse d'un lion.

Plutôt que d'entrer dans sa hutte, Jean dépasse les dernières cases, certain d'être suivi par Noumbé. Il se retourne brusquement et présente une épée à l'Africain.

— Je ne sais pas pourquoi tu m'en veux à ce point, Noumbé, et pourquoi tu

94

cherches à détruire les efforts que je fais, mais je veux que ça cesse. Si tu ne peux t'empêcher de critiquer notre groupe, essaie au moins de te battre avec les mêmes armes qu'eux. En garde !

Jean salue, par habitude, la lame bien droite devant lui. Noumbé en profite pour s'élancer et le frapper du plat de l'épée, tout près du visage. Jean reprend position et sourit en pensant que Noumbé serait peut-être un bon élève s'il était moins indiscipliné.

Jean esquive avec aisance les attaques suivantes et, en trois coups d'épée, il envoie valser l'arme de son adversaire. Déséquilibré, Noumbé roule au sol. Au moment où Jean se penche pour ramasser l'épée et la redonner à son adversaire, Noumbé fait un croc-en-jambe que Jean évite de justesse. Puis l'Africain ramasse une poignée de sable qu'il jette sournoisement au visage de l'adolescent. Aveuglé, Jean recule en rugissant.

Le silence se fait soudain menaçant. Le combat n'est pas fini. Noumbé est là, il en est certain, prêt à fondre sur lui. Mais par où viendra l'attaque ?

Tout à coup, on entend le bruit à peine perceptible de la lame qui fend l'air. Toujours prisonnier des ténèbres, Jean lève le bras au-dessus de sa tête, esquive l'attaque, et parant de tous les côtés, il enchaîne à toute vitesse les mouvements de défense appris dans son cours d'escrime. Il termine par une parade circulaire qui envoie l'épée de Noumbé dans la poussière. L'instant d'après, un poids énorme l'écrase sur le sol et lui coupe le souffle. Il tente bien de le repousser, mais Noumbé est plus costaud que lui.

Des bruits de pas nombreux viennent mettre fin au combat. Lorsque Jean recouvre enfin la vue, son ami Djoulé immobilise Noumbé au sol. Les villageois les entourent en silence. En quelques mots, Djoulé décrit ce qu'il a vu, caché derrière la hutte. Le chef Wokabo secoue la tête et déclare :

—Je suis très déçu de toi, Noumbé. Tu déshonores notre clan en t'attaquant de cette façon à ton frère N'Juno. Tu n'agis pas en homme, mais en petit enfant qui n'est pas maître de ses émotions. Ton châtiment, je ne l'applique pas de gaieté de cœur, mais je te donne le choix : tu deviens l'esclave de N'Juno et tu regagnes ta liberté par ton travail, ou tu es banni du village.

—Non ! s'exclame Jean, horrifié par la sévérité de la punition. Non, chef, je ne veux pas d'esclave. C'est d'ailleurs pour me battre contre l'esclavage que je suis ici. Et si Noumbé part, nous perdrons un très bon guerrier et quelqu'un pour défendre le village. Il a peut-être tenté de me tuer, mais il a aussi prouvé qu'il savait se battre, même à l'épée. S'il le désire, je le prends dans mon groupe.

Dans le silence qui suit, Noumbé se lève, secoue la poussière de son pagne et se place devant le chef, la tête haute, le regard farouche. Le vieil homme scrute Noumbé, puis Jean, et soupire.

— N'Juno a raison. Nous avons besoin de tous les hommes disponibles. Des hommes, Noumbé, rappelle-t-en. Si j'entends que N'Juno, ou toute autre personne du village a quelque chose à te reprocher, tu seras aussitôt banni du village, guerre ou pas. As-tu compris ?

Noumbé baisse la tête en serrant les poings. Il grogne finalement un oui à peine audible avant de se retirer dans sa hutte. Mambella s'approche de Jean et essuie la boue séchée sur son visage.

— Tu as été brave et sage. Mais j'espère que tu n'auras pas à regretter ta décision. Je n'ai pas confiance en Noumbé.

— Moi non plus, mais je n'ai pas le choix.

— Dis-moi, qu'as-tu voulu dire par « c'est pour me battre contre l'esclavage que je suis ici » ?

— Oh ! j'aimerais bien le savoir moi aussi...

Lorsque Jean entre dans sa case, il s'aperçoit aussitôt que ses objets ont été déplacés. La gibecière, dans laquelle il avait caché l'atlas, pend au plafond, en lambeaux.

Et l'atlas a disparu !

Troisième partie

À l'attaque !

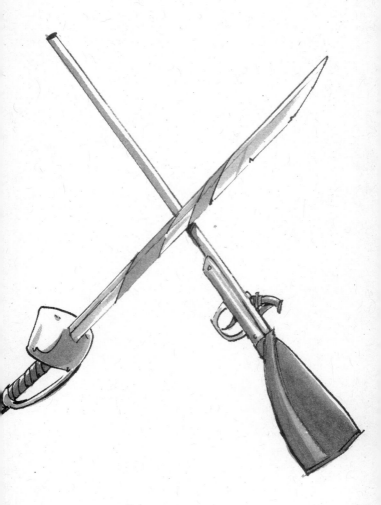

Chapitre 1

Le vent change de direction

Jean tourne en rond dans sa case en se frappant la tête.

— Noumbé ! gronde-t-il. C'est lui, j'en suis sûr. Quelle idée stupide j'ai eue de laisser l'atlas dans ma case ? J'aurais dû l'enterrer, le cacher dans un arbre. J'ai sous-estimé Noumbé et voilà le résultat !

Jean sait que, sans l'atlas, il ne pourra jamais retourner chez lui, dans son pays, à son époque. Et il ne sera pas le seul, coincé dans un corps qui n'est pas le sien. Jules Eiffel a également pris la place de Julien Bourrelle, son adversaire à la cape noire. Si Jean ne revient pas, Jules non plus, et Julien devra attendre pour regagner son propre corps. Un des mystères de l'atlas, c'est que le temps est suspendu au point de départ. Le voyageur peut partir une minute ou plusieurs jours et rien n'aura bougé, personne ne se sera rendu compte de son absence. Mais est-ce vrai en toute occasion ? La personne qui s'est fait emprunter son corps attendra-t-elle indéfiniment pour reprendre le contrôle ? Jean n'en est pas sûr. À preuve, lorsqu'il était parti à la recherche de l'atlas dans le vaisseau spatial en direction de Mars[7], le jeune Alexis avait tenté à plusieurs reprises de réintégrer son corps, occupé par Alex. S'il en avait repris possession, où Alex serait-il allé ?

L'adolescent sait qu'il devra récupérer l'atlas le plus vite possible, sinon les conséquences seront désastreuses pour beaucoup de gens. À commencer par lui. Il se doute bien que Noumbé niera avoir pris l'atlas, et Jean ne peut demander l'aide de personne, car il devra ensuite expliquer pourquoi il avait cet objet en

7. Voir *L'atlas perdu*.

sa possession. Les épaules basses, il prend Destinée et quitte sa hutte.

La lumière éblouissante l'oblige à fermer les yeux. Lorsqu'il les ouvre, quatre hommes solides et armés de lances lui retirent son épée et le conduisent sans ménagement vers le centre du village. La population au grand complet y est rassemblée et le regarde avancer, comme une bête conduite à l'abattoir. Au centre, à côté du chef Wokabo et des anciens, se tient Noumbé, droit et fier. Un vague sourire de victoire apparaît sur ses lèvres. Jean sent son cœur se serrer lorsqu'il aperçoit l'atlas dans les mains du chef.

—N'Juno Mobasso, explique-moi ce que faisait cet objet dans ta case.

—C'est à moi. Noumbé me l'a volé.

—Voler un voleur et un traître, est-ce voler ? ricane Noumbé.

—Cet objet, continue le chef, plusieurs l'ont reconnu. C'est le livre qu'avait l'homme qui est venu faire du troc dans le village. Tu le lui aurais donc volé ?

—Non ! proteste Jean. Il est à moi.

—Alors, si tu ne l'as pas volé, explique-nous pourquoi tu l'avais en ta possession.

—Je ne peux pas...

—Eh bien voilà ! s'exclame Noumbé. Par son silence, le traître avoue ! Je vais vous dire, moi, ce qu'il faisait avec ce livre. Il est complice avec le marchand. Il est ici pour nous voler. Il a inventé cette histoire d'esclavage pour attirer notre attention pendant qu'il effectue son pillage. Il nous a volé tout notre fer pour construire des épées dont nous n'avons pas besoin. Il les donnera tout simplement au trafiquant, et nous aurons tout perdu, nos casseroles, nos bijoux et ces épées inutiles. Et pendant que nous construisons une palissade et une tour et que nous perdons notre temps à jouer avec ces épées, nous ne nous occupons pas de nos cultures et de notre bétail. Ce que nous n'aurons pas récolté, nous devrons l'acheter à ce marchand, qui nous réduira à la pauvreté. C'est ça, l'esclavage qui nous attend !

—NON ! proteste Jean. Vous n'avez rien compris.

Mais déjà la foule lève les bras en l'air en scandant :

—C'est un voleur et un traître !

—Il nous a possédés !

—Tuons-le !

Le chef se lève et réclame le silence, sans un regard pour Jean dont le visage a blêmi.

— Cette décision est trop grave pour être prise à la légère. Nous devons en discuter en conseil.

Une voix s'élève de la foule. Mambella, quittant sa place dans la dernière rangée avec les autres femmes, avance vers Jean et lui prend la main.

— S'il vous plaît, père, écoutez-moi. N'Juno ne veut pas notre perte, au contraire. Vous avez tous entendu le tam-tam annoncer la destruction d'un village voisin. Les marchands d'esclaves arrivent et nous devons nous protéger. Si N'Juno avait été un traître, pensez-vous qu'il vous aurait empêché de bannir Noumbé ? Et ce livre, il m'en a déjà parlé. C'est un présent qu'il voulait vous offrir, père, comme dot pour notre mariage. Cet objet est très précieux et N'Juno ne l'a pas volé.

Jean regarde Mambella, incrédule. Il comprend tout à coup que la jeune femme est la fille du chef du village. Mambella avait probablement choisi N'Juno plutôt que Noumbé comme fiancé, ce qui expliquait la jalousie et le désir de vengeance de Noumbé. D'autant plus que celui qui épouse la fille du chef a toutes les chances de devenir chef lui-même, à la mort de ce dernier. L'histoire de la dot, Mambella l'a inventée de toutes pièces pour le sortir de cette impasse. S'il s'en tire vivant, il sera toujours temps de récupérer le « cadeau » et de l'utiliser pour revenir dans son propre corps, au Québec. D'un sourire, il remercie Mambella et se tourne vers le chef Wokabo en déclarant :

— Votre fille dit la vérité. J'ai acheté au marchand un livre semblable à celui dans lequel il écrivait. Vous pouvez vérifier, aucune écriture n'y apparaît. Je devais vous le remettre en cadeau le jour de notre mariage, pour vous remercier de l'honneur que vous me faites...

Noumbé s'avance, le visage menaçant, prêt à formuler de nouvelles accusations. Mais le tam-tam qui commence soudain à résonner dans la brousse lui retire le droit de parole. Chacun déchiffre la nouvelle avec une crainte grandissante. Un village, à deux jours de marche, a été attaqué et détruit.

Le chef soupire et décide :

— Vous tous, retournez à vos tâches. La palissade doit être terminée avant le coucher du soleil. Djoulé, tu es maintenant responsable de N'Juno. Trouve-lui du travail au transport du bois. S'il tente, par quelque moyen que ce soit, de s'enfuir ou d'entrer en contact avec l'ennemi, abats-le !

Chapitre 2

Le sort en est jeté

Toute la journée, Jean travaille comme une bête de somme, ne ménageant aucun effort afin de prouver qu'il n'est pas le traître dénoncé par Noumbé. Mais personne ne lui parle. Même Djoulé reste de marbre, ne lui adressant qu'une fois la parole, au moment où un arbre menace de l'écraser.

Au coucher du soleil, la palissade est terminée. Pendant que les habitants déménagent leurs possessions et s'installent dans les huttes du village fortifié, le chef convoque Jean. Noumbé est debout derrière l'ancien et affiche un sourire méprisant. Jean examine la pièce à la recherche de l'atlas. Ce dernier est introuvable.

— N'Juno Mobasso, commence le chef d'une voix éteinte, tu as brisé ma confiance et celle de Kananga. Seules les paroles de ma fille t'ont évité d'être puni du châtiment réservé aux traîtres. Tu sais que j'envisageais de faire de toi mon bras droit et l'époux de ma fille. À partir de maintenant, tu n'as plus le droit de la voir ni de lui parler. Tu peux continuer à donner tes cours d'épée, mais c'est le seul contact que tu auras avec tes frères, jusqu'à ce que tu aies racheté ta faute.

— Mais… je n'ai rien fait, proteste Jean avec force. Tout ce que je voulais, moi, c'est aider ce village.

— CE village, N'Juno ? Tu parles comme s'il ne t'avait pas vu naître, CE village. Je n'arrive pas à te comprendre, mon garçon. Depuis quelques jours, tu agis d'une manière étrange, tu fais des choses qui ne te ressemblent pas. Noumbé n'a pas tort. Tu n'es peut-être pas un traître, mais ton esprit est dérangé. Ce qui est aussi dangereux. Va, maintenant ! Tu coucheras dehors, cette nuit, avec les veilleurs.

Lorsque Jean passe devant Noumbé, celui-ci ajoute, dans un ricanement :

— C'est ça, va retrouver les chacals de ta race !

Bouillonnant de rage, Jean sort de la case du chef. Il bute au passage sur Mambella qui le poursuit en demandant :

— Qu'est-ce qu'il t'a dit ? Tout est arrangé, n'est-ce pas ?

Jean passe son chemin les lèvres serrées. Il a tout gâché. Il n'a plus l'atlas, on le traite comme un paria et il a même saboté l'avenir du vrai N'Juno. L'idée lui traverse l'esprit de revenir dans la case du chef et de reprendre son atlas de force, de le réactiver et de partir, les laissant à leur sort. D'un autre côté, il se dit que tout le déshonneur de ses actes retomberait sur N'Juno. Ce n'est pas la mission que lui a confiée l'atlas. Le seul choix qui se présente maintenant à lui est de faire de son mieux pour regagner la confiance du chef Wokabo, d'apprendre à son groupe d'épéistes à bien se battre et de sauver le village des trafiquants d'esclaves. Rien de moins ! Et pour ce qui est du cœur de Mambella, N'Juno devra s'occuper lui-même de le reconquérir.

Depuis deux jours, Jean vit en exclu. C'est une vieille femme qui lui apporte sa nourriture, toujours sans parler et sans le regarder. Il est devenu un fantôme, un indésirable. Maintenant que la construction de la palissade est terminée, les villageois ont tout leur temps pour se préparer au combat, amasser des vivres et de l'eau, et même installer dans la forêt des pièges que Jean dessine sur le sol pour Djoulé. Celui-ci ne lui adresse plus la parole, pourtant Jean sait qu'il ne le fait pas de gaieté de cœur. Les leçons d'escrime se poursuivent à un rythme accéléré, mais Jean sent que le moral de sa troupe s'effiloche. Le sien aussi, d'ailleurs. Il aimerait tant reprendre l'atlas et partir, loin de ce village où personne ne veut de lui. Mais voilà, c'est l'atlas qui décide. L'atlas et un chef qui prend la parole de Noumbé pour vérité. Vivement de l'action pour calmer les esprits, se dit-il, après avoir suggéré à ses épéistes de bien aiguiser leur arme et de se tenir prêts.

Ce soir-là, Jean affûte avec attention son épée et l'enduit de graisse de chèvre pour l'empêcher de rouiller. Puis, comme le sommeil ne vient pas, il prend une pierre à l'arête tranchante et grave le nom Destinée sur la lame. Il ajoute aussi

ses initiales, J. D., à la hauteur du manche. Il s'allonge ensuite sur un matelas de
feuillage pour dormir à la belle étoile, à
l'extérieur des fortifications du village.
La nuit est peuplée de bruits étranges et
inquiétants : le glissement d'un serpent
dans la mousse, le vol feutré de la chouette,
le trottinement du mulot et le vrombis-
sement ininterrompu des mouches comme
toile de fond. Jean essaie de comprendre
comment le marchand d'esclaves a pu
être mis en contact avec l'atlas. L'a-t-il
volé à quelqu'un, comme lorsque le géant,
au Klondike, lui avait dérobé l'atlas pour
le revendre ensuite[8] ? Ou bien l'atlas s'est-
il trompé en choisissant cet aventurier
et cherche-t-il maintenant à réparer son
erreur en l'envoyant, lui, Jean, régler le
conflit que cela a généré ?

Tout à coup, il entend le bruit d'une
branche qui craque et des tintements
d'objets qui s'entrechoquent. Le son est
si léger qu'il doit tendre l'oreille, se demandant si c'est son imagination qui lui
joue des tours. Bien que Jean n'y croie
pas vraiment, il sait que les Africains
considèrent que chaque humain, chaque
arbre, chaque animal possède un esprit

---

8. Voir *L'atlas mystérieux*.

qui demeure, même après sa mort, et hante la forêt. Enfin, une voix étouffée par la distance se fait entendre, puis une autre, plus basse, qui ricane. Jean reconnaît aussitôt Mambella et... Noumbé ! Oh non ! Il se lève et approche à pas de loup, son épée serrée dans la main.

—Non, Noumbé ! Laisse-moi tranquille.

—Oublie cet idiot de N'Juno. Maintenant, tu es à moi. Ton père me l'a dit aujourd'hui. Il veut que tu aies le meilleur guerrier comme époux.

—Jamais, Noumbé. Jamais je n'accepterai. Plutôt mourir que devenir ta femme.

—Et comment feras-tu pour me résister ? En hurlant « Au secours ! » ? Tous les habitants du village savent que tu m'appartiens, maintenant. Allez, accepte ton sort et rentre à l'intérieur. La nuit, des bêtes féroces rôdent partout...

—NON ! hurle Mambella en se sauvant.

Mais Noumbé la rattrape et la jette par terre en riant d'un air idiot. Un des bracelets que la jeune femme porte aux poignets éclate en morceaux en touchant le sol. Laissant son épée sur une souche,

112

Jean se lance de toutes ses forces sur Noumbé qui rugit de surprise.

— Mambella, dit Jean, retourne au village. Préviens Djoulé et les autres.

Un corps à corps s'engage entre les deux adversaires. Jean est plus faible, mais sa rage des derniers jours le rend plus rapide, plus décidé. Un vrai lion. Un moment pourtant, Noumbé reprend le dessus et Jean regrette de ne pas s'être servi de son épée. Son sens de l'honneur l'en aurait pourtant empêché : on n'attaque pas avec une arme si l'adversaire n'est pas armé. Noumbé ricane et s'apprête à abattre son poing sur le visage de Jean.

Le hululement d'une chouette interrompt son geste. C'est le signal du veilleur de la tour, signal qui appelle la population à un rassemblement immédiat, car la présence d'étrangers a été détectée.

Noumbé se relève, ôte la poussière de son pagne et, prenant la direction du village, il dit :

— Tu ne perds rien pour attendre, N'Juno. Surveille tes arrières : le coup ne viendra peut-être pas de tes amis les marchands d'esclaves.

Chapitre 3

La vie... ou la mort

La rage au cœur, Jean se lève à son tour et se dirige vers la porte de la palissade, Destinée à la main. Son groupe est déjà réuni. Djoulé lui tend un des boucliers ronds fabriqués par le forgeron, mais Jean le refuse.

— Offre-le plutôt à Nîmo, le futur chef du village. Protégez-le bien, car si lui et son père meurent, c'est Noumbé que vous aurez comme chef. Et je ne vous le souhaite pas.

Sous la direction de Jean, les épéistes s'installent dans les branches des arbres qui bordent l'orée de la forêt, prêts à fondre sur leurs ennemis. Les autres hommes se sont couchés à l'extérieur de la palissade, le corps camouflé par des feuillages. Certains attendent en renfort, à l'intérieur. Les femmes et les enfants se préparent à éteindre les incendies, les seaux en fibres tressées remplis d'eau à leurs pieds. Tous patientent dans le silence le plus total.

Au loin, on entend soudain le bruit sec d'un piège qui se déclenche et le cri étouffé d'une victime. Jean, perché sur sa branche, surveille le périmètre environnant. La nuit est impénétrable. Mais l'ennemi approche, il peut le sentir à son odeur âcre. Combien sont-ils ? Quelles armes ont-ils ? Jean distingue une tache plus pâle dans la végétation. Est-ce un animal ? Un tigre ou un léopard ? Les bruits de la nuit se sont tus, le silence est étouffant. Le seul son qui agace l'ouïe de Jean est le battement de son propre cœur. Chaque respiration lui semble plus difficile que la précédente.

Tout à coup, la tache se met à courir et se dédouble. Jean saute de son perchoir et atterrit en souplesse sur la mousse.

Aussitôt sur ses pieds, il fend l'air avec son épée et renverse un premier homme qui hoquette de surprise. L'épée en avant, il fonce et touche un deuxième ennemi. Le premier se relève et saisit son fusil. Le bruit du chien qu'on arme alerte Jean qui se retourne et, grâce à une parade circulaire exécutée à toute vitesse, écarte le canon vers le ciel. Le coup part et l'explosion ébranle l'adolescent, qui en perd momentanément l'ouïe. En rugissant, Jean abat son épée sur son adversaire, mettant fin à son premier combat. Un sentiment d'horreur le saisit à la gorge. Ce n'est ni un jeu vidéo ni une compétition amicale. C'est la guerre, la vraie. Et la mort est au rendez-vous. La sienne et celle de beaucoup d'innocents de son village, s'il reste là à ne rien faire.

Partout autour de lui, les épéistes font tinter leurs armes dans la confusion de la nuit. D'autres coups de feu retentissent. Jean entend un cri étouffé et il reconnaît la voix de Nîmo. Nîmo qui ne doit pas mourir, à cause de Noumbé... Il se précipite dans la direction du cri et, apercevant à contre-jour la lame d'un couteau brandi dans les airs, il se jette sur l'assaillant et réussit à l'assommer. Jean remet Nîmo sur ses pieds, lui redonne son épée et son bouclier. Le voyant chanceler, il lui demande avec inquiétude :

— Es-tu blessé ?

— La balle n'a fait qu'écorcher mon épaule. Merci de m'avoir sauvé la vie, N'Juno. Et je voulais te dire : tu avais raison depuis le début. Excuse-moi d'avoir douté de toi.

Ému, Jean lui serre le bras et dit :

— Viens, la bataille continue.

Quelques ennemis ont réussi à contourner les épéistes et affrontent maintenant la deuxième ligne de défense au pied de la palissade. Combats à la lance et corps à corps font rage. Des coups de feu éclatent à l'aveuglette. Puis, des flèches enflammées traversent la muraille, allumant des incendies que les femmes et les enfants s'efforcent d'éteindre. Dans la lumière rougeoyante, Jean voit que les assaillants sont moins nombreux. Malgré la fatigue, il revient à l'attaque.

En quelques minutes, les combats sont interrompus, faute d'adversaires. Voyant qu'ils ne pouvaient venir à bout des défenses du village, les ennemis encore valides se sont sauvés en désordre, poursuivis par des hommes de Kananga. On entend encore des cris et des pièges qui se referment sur leurs victimes, puis les rumeurs de la nuit reprennent possession de la forêt.

À l'intérieur des palissades, les habitants du village pansent leurs blessés et préparent un repas pour nourrir les guerriers. Dans la case du chef Wokabo, le conseil interroge longuement un prisonnier qu'on a trouvé portant un fusil. Un Africain habillé avec les vêtements des toubabs blancs. Un traître. En sortant de la case, le chef réclame le silence.

— Le prisonnier a avoué : il travaillait pour les Blancs et venait prendre nos hommes, nos femmes et nos enfants pour les transporter de l'autre côté de la grande étendue d'eau et en faire des esclaves. Mais le peuple de Kananga a vaincu ses ennemis. Le peuple de Kananga est grand !

Les acclamations des villageois s'élèvent dans la nuit, accompagnées du battement effréné des tambours. Jean aimerait se mêler à l'enthousiasme général, mais il ne ressent que fatigue et vide immenses. La voix du chef retentit à nouveau :

— N'Juno, approche...

Jean donne son épée à Djoulé et avance, la tête basse. Que va-t-on faire de lui ? N'a-t-il pas fait ses preuves, ne s'est-il pas battu avec acharnement ? N'a-t-il pas sauvé le village des trafiquants d'esclaves ? Un sourire éclaire soudain le visage du chef qui marche à sa rencontre et le serre dans ses bras.

— Ce soir, le village de Kananga te rend hommage, N'Juno. Nous avons enfin compris que la voix du serpent a parlé par ta bouche. Que la force du serpent a frappé par la lame de ton épée et que la sagesse du serpent a été plus grande que la nôtre. Demande-nous ce que tu voudras, nous t'écoutons.

Surpris et heureux à la fois, Jean ouvre la bouche pour répondre « Rien, c'était tout naturel ! Il faut remercier les autres... », mais il se reprend à temps :

— J'ai deux souhaits, si vous voulez bien me les accorder.

— Parle.

— J'aimerais ravoir l'atlas... enfin, le livre que Noumbé a pris dans ma case.

— Accordé ! Ensuite ?

— J'aimerais vous demander la main de Mambella, ajoute-t-il en rougissant. Je veux qu'elle devienne ma femme.

Un rugissement s'élève de la foule. C'est Noumbé qui avance comme un taureau vers le centre du cercle.

— Non, chef, vous ne pouvez pas la lui consentir. Vous me l'aviez promise...

— Où étais-tu, aujourd'hui, Noumbé ? demande le chef Wokabo en le fixant avec sévérité. Je ne t'ai pas vu combattre, ni dehors ni à l'intérieur de l'enceinte. Ton corps n'est pas couvert du sang de tes ennemis, tes mains ne portent pas les blessures du guerrier. Retourne à ta place, à l'arrière, et ne prends la parole que lorsque je t'en donnerai la permission.

Pendant que Noumbé, la tête basse, se retire, le chef se tourne vers Jean.

— N'Juno, grand guerrier et protecteur de Kananga, c'est un honneur pour moi de t'accorder la main de ma fille. Tu seras, j'en suis sûr, un bon époux et un bon père. Et peut-être, un jour, seras-tu un chef de village respecté ? Mambella, ma fille, viens ici.

Mambella ne répond pas. Des murmures s'élèvent de la foule. Où est-elle ? On envoie des femmes fouiller les cases. Rien. Des hommes prennent des torches et sortent chercher aux abords du village. Rien. Au son des lamentations qui éclatent dans les rangs des femmes, on en vient à l'évidence :

Mambella, la fille du chef, la fiancée de N'Juno, a disparu !

Chapitre 4

Où est Mambella ?

L'aube commence à peine à pointer. En attendant le lever du soleil, Jean et son groupe d'escrimeurs se préparent à partir. En apprenant la nouvelle de la disparition de Mambella, l'adolescent s'est tout de suite porté volontaire, ainsi que quatorze des épéistes encore valides, pour partir à la recherche de la jeune fille. Le chef a fini par accepter, car chacun des jeunes hommes a déjà fait ses preuves : pister une bête sauvage pendant plusieurs jours, retrouver son chemin grâce aux étoiles, parcourir de longues distances sans eau ni nourriture. Mais surtout, l'épreuve de la nuit dernière les a consacrés au rang d'hommes. Il a confiance. De plus, il a besoin des hommes plus vieux pour reconstruire les cases incendiées et renforcer les défenses du village en prévision d'une nouvelle attaque. Les tambours résonnent depuis un moment déjà, ébruitant la nouvelle de la disparition de la jeune femme. En attendant le signal du départ, Jean se lamente en tournant en rond dans sa case :

— Non, non, non et non ! Tout ça, c'est ma faute. J'ai renvoyé Mambella au village, mais je ne me suis pas assuré qu'elle s'y était bien rendue. Et elle s'est fait enlever...

— Peut-être, soupire Djoulé, mais tu ne pouvais pas être à deux endroits en même temps. N'oublie pas que tu affrontais Noumbé, afin de protéger Mambella de ce rapace. C'est Noumbé qui est responsable. Encore une fois...

— Et que faisait ma sœur à l'extérieur des fortifications ? demande Nîmo. Elle cherchait les ennuis ?

Les épées sont placées dans des fourreaux sanglés au dos des garçons. La gibecière de chacun contient assez de nourriture pour survivre plusieurs jours sans chasser. Ils ont espoir de rattraper la colonne de prisonniers avant son arrivée sur la côte, qui est à une dizaine de jours de marche. Au lever du soleil, l'équipe de sauvetage emprunte la piste. À la suggestion de Jean, Djoulé amène son chien, un AfriCanis nommé Ouolo, qui peut détecter à distance la présence d'un tigre ou d'un serpent. Au début, les traces sont faciles à suivre, le sang des victimes maculant les feuilles et la mousse. Mais, au bout d'une demi-journée de marche, une pluie diluvienne se met à tomber. La piste s'efface. Découragés, les jeunes se tournent vers N'Juno.

— Qu'est-ce qu'on fait maintenant ? On a eu beau chercher dans toutes les directions, on n'a rien trouvé.

Jean appelle Ouolo qui accourt en jappant.

— Bon chien, Ouolo, bon chien. J'ai besoin de toi, mon gars.

Il sort alors de sa gibecière un foulard appartenant à Mambella et le présente au chien. Il le lui fait sentir un moment. L'animal regarde Jean, comme s'il était impatient de jouer à ce nouveau jeu. Puis Jean l'envoie :

— Vas-y, Ouolo, cherche. Retrouve Mambella.

D'abord hésitant, le chien s'enfonce dans la forêt dense, la truffe au sol. Pendant un moment, on n'entend que les branches craquer sous les pas de l'animal. Au bout de quelques minutes, l'animal se met à japper avec insistance.

— Venez, dit Jean, suivons-le.

— Comment peux-tu être sûr que c'est par là ? s'étonne Djoulé. La pluie a effacé les traces. Il peut aussi bien suivre un lièvre.

— Le chien a quarante fois plus de cellules olfactives que l'homme, ce qui fait que son odorat peut être un million de fois plus aiguisé que le nôtre. En sentant le foulard de Mambella, il a rempli ses cellules olfactives de son odeur. Et maintenant, s'il y a une molécule d'odeur de Mambella, il la trouvera. Enfin… j'espère !

Jean se rend bien compte que les garçons le regardent avec un air vaguement inquiet, comme s'il venait de rencontrer… un esprit. Il sourit en pensant que c'est presque vrai, puis il ajoute :

— Faites-lui confiance. C'est… euh… l'esprit du serpent qui me l'a dit !

Machette au poing, les aventuriers ouvrent un passage dans la végétation enchevêtrée, sur les traces de Ouolo. Le chien s'arrête tout d'un coup, la truffe pointée sur un objet brillant, un bout de verre poli. Jean le prend et le montre à Nîmo, qui secoue la tête, reconnaissant un fragment d'un des bracelets de verroterie donnés à Mambella par le marchand. Impressionnés par l'odorat du chien, les jeunes hommes redoublent de vitesse derrière la bête qui file sur les traces de Mambella.

Bientôt, la forêt s'éclaircit et une piste se dessine sur le sol. C'est un chemin emprunté par les voyageurs qui se rendent d'un village à un autre. Nîmo se penche et inspecte les traces avec attention.

— Mambella est passée par ici.

— Comment peux-tu le dire ? Il y a tellement de traces que c'est impossible d'en distinguer une en particulier.

— Le gros orteil, ici, c'est le sien.

— Tu en es sûr ? demande Jean, qui trouve que tous les gros orteils se ressemblent.

— L'entaille en V, c'est moi qui lui ai faite lorsque nous étions jeunes. J'avais trouvé une pointe de silex et j'en avais fait un couteau. Elle prétendait l'avoir vu en premier et voulait en faire un pendentif. Nous nous sommes disputés pour l'avoir, elle a mis son pied dessus, et moi, eh bien… j'ai tiré ! Elle m'en veut depuis ce temps.

— Si cette blessure permet de la retrouver, elle ne t'en voudra plus jamais, je te le promets, conclut Jean en riant.

Toute la journée, le groupe suit le sentier large et dégagé. Ils marchent vite, en espérant intercepter les marchands et les prisonniers qu'ils convoient avec eux. Ils se dirigent vers le soleil couchant en suivant la piste de la rivière Lulua, que Jean trouve magnifique, avec ses rapides endiablés alternant avec des baies calmes et grouillantes de vie animale.

Tout à coup, Ouolo se met à gronder. D'un claquement de doigts, Djoulé lui intime le silence. Les garçons sortent leurs épées et se fondent dans le rideau des arbres. Des voix se font entendre en aval de leur position. Quatre jeunes hommes descendent la piste en discutant et passent devant les épéistes, sans même soupçonner leur présence. Armés d'une simple sagaie, cette lance courte à lame large qu'on utilise dans les combats rapprochés, ils ont l'air suffisamment inoffensif pour que Nîmo donne le signal de se montrer. Les voyageurs sursautent de frayeur en les voyant apparaître.

—Paix, nous ne vous voulons aucun mal, dit Nîmo en levant la main en signe de fraternité. Nous voulons savoir si vous avez vu des marchands d'esclaves accompagnés de prisonniers.

—Non, nous venons du village voisin, à deux heures de marche d'ici, déclare l'autre en faisant le même signe de paix. Vous êtes les premiers étrangers que nous rencontrons.

Le chien se met de nouveau à gronder, les babines retroussées sur des crocs impressionnants. Impatient, Djoulé attrape l'animal par la peau du cou et l'avertit :

—Tais-toi, Ouolo. Ce sont des amis.

Soudain, une flèche atteint le chien en plein flanc. Djoulé le lâche en hurlant. Au même moment, des hommes armés de bâton font irruption autour d'eux, assommant avec frénésie les jeunes avant que ceux-ci n'aient la chance de se servir de leur épée. Jean est touché à la tête par un violent coup de gourdin mais, avant de tomber, il sent que Djoulé le pousse avec force dans le ravin qui borde la rivière. Il déboule la pente abrupte avant d'être freiné par un enchevêtrement de branches, à la limite de l'eau.

Puis, tout devient noir.

Chapitre 5

Déjà vu

La chaleur touffue de la forêt tropicale imprègne d'humidité les feuilles des arbres, les troncs, la moindre plante. Jean essuie la sueur qui perle sur son nez en se concentrant sur la piste à peine dessinée. Le groupe est passé depuis quelques jours que déjà la forêt a repris ses droits. Laissant tomber son ballot, le jeune aventurier se penche soudain, évitant de justesse une toile d'araignée qui lui barrait le passage. Avec un étrange sentiment de déjà-vu, Jean saisit une brindille et touche doucement un des fils. Aussitôt, une petite araignée noire avec deux taches rouges sur l'abdomen se précipite sur sa toile. L'adolescent recule, saisi de frayeur. Cette veuve noire, la plus venimeuse de toutes les araignées de la planète, aurait pu mettre un terme à sa mission… et à sa vie. Jean replace sa gibecière sur l'épaule, prend son ballot, et repart, attentif à la piste, aux tiges coupantes et aux araignées qu'il déteste par-dessus tout.

Vers la fin de la journée, le sentier s'éclaircit tout d'un coup. Jean a atteint une clairière illuminée par le soleil déclinant. Prudent, il s'accroupit à la hauteur des herbes. Une odeur envahissante a remplacé celle de la forêt qu'il a l'habitude de respirer. Poisson, algues et sel marin. Jean est donc arrivé à la mer, le bout de son voyage. Plus loin, c'est l'inconnu. Non pas l'inconnu de N'Juno, l'Africain, le *grand vide* où les effroyables monstres s'entredéchirent. Non, lui sait ce qu'il y a, plus loin. Et les monstres y sont plus effrayants encore.

Le soleil se couche dans un court flamboiement de rouge et d'orangé. En frémissant, le garçon retourne à l'abri de la jungle pour dormir, en attendant que le jour se lève et que se poursuive la plus périlleuse aventure que l'atlas lui ait jamais confiée.

Le jour dessine à peine une ligne rosée à l'horizon que, déjà, Jean a franchi les derniers mètres le séparant de la plage. Ce qu'il voit le remplit d'appréhension. Un trois-mâts, les voiles ferlées, se balance sur l'eau tranquille. L'eau bleue, verte, mauve, qui n'est bordée, à l'horizon, par aucun rivage. L'océan Atlantique. Le garçon se demande comment un bateau de bois, aussi frêle, pourra traverser l'océan et affronter le Gulf Stream et ses tempêtes. Il n'a rien du *Queen Élizabeth 2*, ce géant des mers qu'il a vu dans le port de Québec. Rien du *Titanic*, non plus, et lui, pourtant, a sombré...

Plusieurs cages en bois de bambou sont alignées sur la plage, d'où jaillissent des pleurs et des gémissements. Plus loin, des hommes armés de fusils et de fouets font avancer des prisonniers, pieds et mains entravés par des chaînes. Des enfants, qu'on s'efforce de regrouper en les menaçant du fouet, s'accrochent avec désespoir à leurs parents.

Des barques font l'aller-retour entre la plage et le bateau, déchargeant dans le ventre du navire négrier le bois d'ébène que les trafiquants se sont approprié sur le continent africain. Parfois, quelqu'un tente de se jeter à l'eau pour échapper à son sort, mais les gardes le rattrapent aussitôt, attentifs à ne rien perdre de leur précieux chargement.

Un élancement vrille soudain le crâne de Jean, là où le coup de gourdin, reçu quatre jours plus tôt, a laissé un souvenir douloureux. Le sang séché imprègne encore ses cheveux crépus. L'attaque surprise des trafiquants d'esclaves lui revient à l'esprit. Tellement rapide que ni lui ni aucun de ses amis n'ont eu le temps de dégainer leur épée. Il se rappelle avec confusion qu'au dernier instant Djoulé l'a poussé dans le ravin, ce qui, sans doute, lui a sauvé la vie. Lorsqu'il a repris conscience, la nuit tombait. Il était seul, au fond d'une ravine, enfoncé dans un bosquet de végétation dense au bord de la rivière. La tête lui tournait et il avait l'impression qu'un rouleau compresseur lui était passé sur le corps. Et par-dessus tout, sa peau était couverte d'intolérables piqûres de moustiques. Impossible qu'il ne se soit passé que quelques heures depuis l'attaque. Plutôt une journée ou deux, avait alors pensé Jean, désespéré de ne jamais retrouver ses compagnons.

Après avoir bu l'eau de la rivière, il avait mangé un peu de ses provisions. Il s'était ensuite mis à chercher ses amis, ne croisant que le cadavre à moitié dévoré de Ouolo, la flèche encore plantée dans la poitrine. Bien qu'horrifié, il s'était dit qu'au moins ses amis n'étaient pas morts. Mais ils avaient été capturés, un sort aussi peu désirable que la mort. Des traces de pas nombreux suivaient la piste, en direction de l'ouest. Jean avait aussi fait une découverte intéressante en fouillant les bois : les épées avaient été laissées sur place. Il en avait fait un ballot avant de se trouver un endroit sûr pour dormir. Cette nuit-là avait été peuplée de cauchemars, très semblables à celui qu'il avait fait avant de partir dans l'atlas.

Jean se secoue. Il ne peut pas rester ainsi à ressasser les souvenirs de sa cuisante défaite. Il doit libérer Mambella et ses amis, Djoulé, Nîmo, et tous ceux qui ont mis leurs espoirs en lui. C'est sa mission, même si elle semble au-dessus de ses moyens.

Il approche de la première cage en rampant comme un serpent dans le sable.

Il pousse devant lui le ballot d'épées. À quelques mètres de son but, une jeune fille le remarque et se met à se lamenter en l'appelant par son nom. C'est Mambella, la fiancée de N'Juno, les poignets et les pieds décorés de bracelets de verroterie, les bracelets maudits donnés par le trafiquant d'esclaves pour acheter leur confiance. Furieux, il ordonne à Mambella de se taire et continue d'avancer sous les regards muets de déception des prisonniers. Il se glisse vers la deuxième cage sans faire le moindre bruit. Ses amis y ont été regroupés. Certains ont des bandages sur la tête où le sang séché a laissé des marques brunes, un autre a le bras en écharpe. Mais Jean constate avec soulagement que tous sont encore en vie.

Un seul garde est affecté à la surveillance des deux cages. Il tourne d'ailleurs le dos aux prisons de bambou, beaucoup plus intéressé par ce qui se passe sur la plage, que par le contenu des cages. Plusieurs négriers tentent de calmer une bagarre qui a éclaté entre des prisonniers récalcitrants et des matelots. Jean en profite pour franchir les derniers mètres le séparant de la geôle. Djoulé s'est approché du mur de bambou et suit la progression de son ami avec intérêt.

Soudain, une sensation de déjà-vu inonde Jean d'une sueur glacée, alors qu'il ressent une douleur lancinante à la tête. Durant une fraction de seconde, il regarde Djoulé dont les yeux se sont remplis d'horreur, puis du même coup, il roule sur lui-même et lève vivement son épée au-dessus de sa tête, parant le coup de gourdin qu'un garde s'apprêtait à lui administrer. En deux mouvements rapides de son épée, Jean se débarrasse de l'homme.

Tout s'est fait sans bruit. Le deuxième garde, devant les cages, observe toujours avec attention l'embarquement des prisonniers. Jean se permet de souffler. Les images de son cauchemar défilent devant ses yeux : le garde qui l'assommait, la marque au fer rouge de tous les esclaves, le bateau dans lequel on l'enchaînait... Jean a-t-il réussi à changer le futur ?

Un léger sifflement provenant de Djoulé le ramène à la réalité. Avec le tranchant de Destinée, Jean coupe une à une les lianes retenant les bambous. Lorsque l'ouverture est assez grande, il fait sortir ses amis tout en surveillant les gardes. À chacun des épéistes, il redonne son arme. Par signes, il leur indique la position à prendre ou un garde à surveiller. Avec Djoulé et Nîmo, il retourne à la première cage où l'attendent avec anxiété Mambella et une vingtaine de prisonniers des villages voisins, dont plusieurs femmes. Jean sait que le danger est grand de les faire tous sortir en même temps, mais il ne peut pas les abandonner à leur horrible sort. Il croise les doigts pour que les gardes ne se rendent pas compte trop vite de l'absence d'un des leurs et de la première prison qui s'est vidée dans un silence presque irréel.

Lorsque l'ouverture est pratiquée dans le mur de bambou, Jean fait sortir Mambella et, la prenant par la main, il se met à courir vers la forêt. Derrière eux, des cris et des coups de feu éclatent. Leur fuite a été découverte trop tôt, rage-t-il en accélérant le pas. Tête baissée, Jean fonce, insouciant des branches qui le giflent et des troncs d'arbre pourris qu'il doit enjamber. Mambella suit sans protester et Jean peut sentir, à sa droite et à sa gauche, la présence rassurante de Djoulé et de Nîmo. Chacun d'eux tient la main d'une jeune femme. Une seule pensée les taraude : fuir à tout prix.

Chapitre 6

Un pour tous
et tous pour un

Lorsqu'il se rend compte que Mambella chute de plus en plus souvent, Jean se laisse glisser dans un ravin envahi de broussailles. Le silence se fait autour d'eux. L'adolescent aurait aimé avoir ses amis auprès de lui, mais il doit se contenter des hululements qui confirment leur présence, non loin de là. Soudain, Mambella se jette à son cou, le visage couvert de larmes.

— Oh ! N'Juno, j'ai eu si peur !

— Chut ! Mambella, supplie Jean en se dégageant, mal à l'aise. Nous ne sommes pas encore en sécurité.

— J'étais certaine que vous viendriez me sauver, continue-t-elle en baissant la voix. Mais lorsque j'ai vu que mon frère Nîmo, Djoulé et tes amis avaient été capturés et que tu n'étais pas avec eux, j'ai tout de suite pensé au pire. Tout était mort dans mon cœur et j'ai cru que je n'allais plus jamais te revoir. Oh ! N'Juno, comme je t'aime !

Jean sourit en pensant que N'Juno serait enchanté de cette déclaration d'amour, lorsque des bruits de branches cassées se font entendre tout près. Mambella continue pourtant son babillage, sans tenir compte des signes désespérés de Jean. Alors, comme il l'a vu faire dans des films de James Bond, Jean plaque sa bouche contre celle de la jeune femme. Surprise, Mambella n'a pas le choix de se taire et c'est là qu'elle entend, à son tour, les bruits de quelqu'un qui approche furtivement. Jean prend son épée et fait signe à la fille du chef de rester derrière lui. Bien qu'on soit en pleine matinée, la pénombre règne dans la forêt tropicale. Le bruit a cessé et Jean pressent qu'il aura peut-être affaire à… deux adversaires… ou à un animal… un

140

féroce carnivore affamé. Brrr ! Les muscles bandés, il conserve une parfaite immobilité, espérant que Mambella a compris que c'est leur seule chance de passer inaperçus.

Le cri d'une chouette, sifflé sur deux notes, perce soudain le silence. Soulagé, Jean répond par le même sifflement, sur deux notes différentes. Mais le garçon réalise trop tard que le signal ne venait pas du haut du ravin, mais de plus loin, sur sa gauche. Immédiatement, deux ombres sautent dans le fourré. Un des assaillants s'empare de Mambella qui hurle et se débat de toutes ses forces. Jean, de son côté, fait face à un homme blanc d'un bon mètre quatre-vingts aux biceps monstrueux, qui le menace d'une machette. Destinée est mieux dessinée pour le combat que cette arme rudimentaire, mais l'étroitesse du ravin et sa pente inclinée amoindrissent cet avantage. L'adolescent lutte un bon moment, utilisant autant ses pieds que son épée. Il réussit à faire une longue estafilade sur le bras de l'homme qui éclate d'un gros rire, nullement gêné par cette blessure. Au contraire, cela semble lui donner encore plus de férocité. L'énergie de Jean diminue trop vite à son goût.

142

Bientôt, le garçon se retrouve sur le dos, coincé entre une énorme racine et un tronc d'arbre. Sa main tâte le sol, à la recherche d'un objet qui puisse lui donner un avantage. Le combat qu'il a mené contre Noumbé revient à son esprit. Noumbé avait gagné en utilisant un moyen qu'il considérait comme déloyal, mais qui, dans une telle situation, pourrait très bien faire l'affaire. Il ramasse une poignée de terre et, alors que le trafiquant d'esclaves se penche vers lui pour lui enlever son arme, il lance la poussière dans le visage de l'homme. Un hurlement de rage transperce la forêt. Jean essaie de se dégager, mais l'homme se laisse tomber à cheval sur lui, le privant d'air.

—Au secours ! tente de crier Jean, mais le ton est si pitoyable que le négrier se met à rire, malgré ses yeux inondés de larmes noires.

—Tu croyais qu'une pincée de poussière réussirait à me mettre à terre ?

—Laissez-moi partir, s'il vous plaît.

—Vigoureux comme tu es, tu vaux ton pesant d'or, petit. Enfin, si tu arrives à te tenir tranquille jusqu'au bateau. J'en ai vu des plus rusés que toi qui se sauvaient sans arrêt et ils ont eu le pied coupé. C'est ce que tu veux ? Continue de gigoter et je te le tranche à l'instant. As-tu compris ?

La machette en l'air, le négrier menace Jean qui détourne les yeux, refoulant ses larmes. Encore une fois, il a tout gâché. Il n'a pas réussi à sauver Mambella et il est à son tour prisonnier des trafiquants d'esclaves. L'atlas s'est trompé, pense Jean avec amertume. Il ne s'agit pas de savoir manier une épée pour changer le sort du monde.

Tout à coup, Djoulé apparaît à ses côtés. Une entaille meurtrit sa joue, mais le bras qui porte l'épée est intact. Une lueur farouche brille dans son regard. Avec un cri sorti de la nuit des temps, la pointe de la lame s'enfonce dans le cœur de son ennemi. Le souffle court, Jean se dégage et récupère Destinée. Il se tourne vers Djoulé pour le remercier, mais son compagnon n'est déjà plus là. Inquiet, Jean gravit la pente pour sortir du ravin. Rendu en haut, il essaie de calmer son cœur afin d'entendre un bruit, ne serait-ce que le tintement d'une épée, le craquement d'une branche ou un pied qui foule le tapis de mousse. Rien. Jean est de nouveau seul. Il siffle le signal d'appel, tout doucement puis plus fort. Personne ne répond.

—Mais où êtes-vous ? demande-t-il à haute voix, désespéré.

—Tais-toi, chuchote une voix. L'ennemi est proche.

Jean reconnaît Nîmo, caché derrière un bosquet de bambous, à quelques mètres à sa droite. Il porte une couronne et une ceinture de feuillage qui le rendent presque invisible. Puis, à gauche, Jean voit une main qui lui fait signe vers cinq autres positions autour de lui. Des mains apparaissent derrière les feuilles, le saluant en silence. Ses copains sont là. Jean n'a jamais été aussi heureux de sa vie. Il s'accroupit sous un buisson et attend, la main serrée sur Destinée. Devant eux, une piste se dessine, à peine perceptible. Au loin, on entend des voix rauques, des cris de douleur, le bruit du fouet qui claque. L'attente est intolérable. L'adolescent a des fourmis dans les jambes, mais il se force à rester immobile. Pour passer le temps, il promène son doigt sur les signes qu'il a gravés sur Destinée. Destinée, son inséparable amie, sans laquelle il serait sûrement mort à l'heure actuelle. Jean fait la promesse que si jamais il sort vivant de ce cauchemar et s'il retourne chez lui, il baptisera son épée du même nom.

Des tintements de chaînes et des murmures étouffés se font entendre tout près. Au bout du sentier apparaît enfin la caravane, constituée d'une dizaine de prisonniers et d'autant de gardes. Elle passe lentement devant eux. Jean peut lire la douleur et le désespoir sur le visage de Mambella et sur celui des prisonniers qui ont été repris. Plusieurs sont blessés. Trois de ses épéistes portent au cou une longue tige de bois se terminant par une fourche, comme Jean a pu en voir lors de ses recherches sur l'esclavage.

Tout à coup, un hurlement crève le silence de la forêt. C'est le signal. Des bois surgissent des êtres mi-homme, mi-végétaux, armés d'une épée. Jean se lance dans la mêlée, frappant avec fébrilité. Au bout de quelques minutes, les combats cessent et on s'empresse de libérer les prisonniers. La joie éclate brièvement, chacun s'embrasse et se félicite, puis tous disparaissent dans la végétation épaisse. Jean s'éloigne avec Djoulé et Nîmo, Mambella et deux jeunes filles sur leurs talons. Ils adoptent une allure rapide, afin de mettre le plus de distance possible entre eux et la côte, ses négriers et un avenir terrorisant.

Sept journées se passent ainsi à courir, entre la crainte d'être repris et la joie d'être

146

de nouveau libres. Lorsque, épuisés, ils arrivent enfin près de la tour de guet, ce sont des cris de joie qui les accueillent. De partout les tambours propagent la bonne nouvelle : les épéistes ont délivré les villageois prisonniers des trafiquants d'esclaves. Et grâce au courage et à l'acharnement de N'Juno, l'honneur et la gloire rejailliront à tout jamais sur le village de Kananga et sur la lignée des Mobasso.

Le banquet couronnant la victoire des épéistes et le retour de Mambella a duré jusqu'à fort tard dans la nuit. Lorsque Jean s'est couché sur sa natte, il a aussitôt sombré dans un sommeil sans cauchemar. Le lendemain, le soleil a déjà atteint le zénith quand le héros émerge de sa hutte. Tous les villageois le saluent avec respect, ce qui est beaucoup plus agréable, pense l'adolescent, que les regards froids et méprisants des jours précédant son départ. En arrivant sur la place du village, Jean aperçoit le chef Wokabo, assis à l'ombre du manguier, Mambella à ses côtés. L'homme l'appelle :

— N'Juno, grand guerrier, quand donc prendras-tu ma fille pour épouse ? Faudra-t-il attendre que l'esprit du serpent se manifeste à nouveau ? Ou bien que tes génisses et tes chèvres aient mis bas ?

Surpris, Jean regarde dans la direction indiquée par le chef. Une dizaine de chèvres et trois vaches à cornes sont tenues groupées par quelques gamins du village. D'après ce que Jean sait des coutumes africaines, c'est un très gros cadeau que le chef vient de lui faire. Il sourit :

— Vous aviez promis de me remettre l'atl… euh… le livre, lorsque je vous ramènerais votre fille.

— Il est à toi, garde-le. Que dirais-tu de célébrer la noce ce soir ?

Jean ouvre de grands yeux, un peu effrayé. Se marier ce soir… non, il est beaucoup trop jeune pour ça ! Et ce ne serait pas juste pour N'Juno.

— Demain… si ça ne vous dérange pas. Je suis vraiment trop fatigué pour… faire ça… aujourd'hui, bafouille Jean.

Les hommes rassemblés autour de l'arbre se mettent à rire. Le chef lui remet l'atlas et le renvoie se reposer. Le nouveau héros prend la main de Mambella et l'entraîne vers sa case.

— J'ai quelque chose à te dire, Mambella.

— Que tu m'aimes ? Tu me l'as déjà prouvé, mais j'adore quand tu me le dis ! Moi aussi je t'aime, tu le sais ?

— Oui, je le sais. Écoute-moi bien : c'est possible que, dans les prochains jours, je sois un peu… étrange, que je ne me rappelle plus tout ce qui s'est passé depuis... le début. Tu m'aideras à me souvenir, Mambella ?

— Es-tu malade, N'Juno ? demande la jeune fille soudain inquiète.

— Non, Mambella, juste un peu fatigué. Mais promets-moi d'être très patiente avec moi. D'accord ? Maintenant, je dois me reposer, car demain est un grand jour pour nous deux.

Jean dépose un baiser furtif sur la joue de Mambella et se retire dans sa hutte, les joues en feu. Il prend l'atlas que lui a remis le chef et, avec précaution, l'ouvre à la page de l'Afrique. La carte est bien là, dans le même état qu'à son premier voyage. Le point marquant le village rayonne d'une lueur bleutée et le nom de Kananga a retrouvé toute son intensité. Soulagé, Jean prépare le mélange d'encre et d'eau et commence à écrire ses souvenirs avec la plume. Si N'Juno avait su lire, il lui aurait laissé le récit de ces extraordinaires aventures, plutôt que de demander à Mambella de lui rafraîchir la mémoire. Mais l'important est que le village ait été sauvé des trafiquants d'esclaves et que N'Juno épousera Mambella, la fille du chef, et deviendra l'heureux propriétaire de dix chèvres et de trois vaches. Mission accomplie !

En riant, Jean met le doigt dans l'atlas, sur la carte du Québec, et entreprend le surprenant voyage de retour dans le livre fantastique.

ÉPILOGUE

La foule manifeste son impatience lorsque, enfin, Julien et Jean se présentent sur la piste de combat. Le coup de sifflet de l'arbitre marque la reprise de l'engagement. Jean examine son adversaire, Julien Bourelle, en se disant qu'il n'est pas aussi impressionnant que les marchands d'esclaves qu'il vient de combattre. Certes, Jean n'est pas aussi grand que lorsqu'il a pris possession du corps de N'Juno, ni aussi musclé, mais il a acquis de l'expérience ces derniers jours. Beaucoup d'expérience !

Julien, de son côté, regarde le tableau indicateur en se demandant ce qui s'est passé pour que le pointage soit de 6 à 5 en sa faveur. Il n'est pas normal que Jean ait marqué à cinq reprises, car aucun de ses adversaires ne lui a jamais soutiré plus de deux points. Il a la curieuse impression de ne pas avoir été totalement là, durant les dernières minutes. D'ailleurs, que faisait-il dans les toilettes, en plein milieu d'un match ? Et sans son grand manteau noir, en plus ? Impensable !

Avec une attaque aussi fulgurante qu'imprévisible, Jean le touche en pleine poitrine. Égalité. Le public applaudit pendant que l'agressivité de Bourelle monte d'un cran. Il entend son entraîneur l'interpeller. Du coin de l'œil, il le regarde se toucher l'épaule droite avec insistance. Julien fronce les sourcils, puis sourit. *C'est vrai*, se dit-il, *l'épaule*. Il baisse sa garde l'espace d'un instant, le temps de feinter Jean qui attaque aussitôt. Mais la pointe de l'épée de Julien a déjà fait son travail en s'enfonçant avec précision dans la blessure de Jean à l'épaule droite. Jean s'écrase sur le sol, envahi par une douleur fulgurante. Bourelle le regarde avec mépris et chuchote :

— C'est ça, Delanoix, reste par terre et déclare forfait. De toute façon, tu ne peux pas me battre !

Un temps d'arrêt est demandé par l'entraîneur du club Estoc.

— Ça fait mal ? demande David en touchant doucement l'épaule bleuie de Jean.

Le garçon ne répond pas, les dents serrées pour s'empêcher de gémir. Il fait signe que non. L'entraîneur insiste :

— Ce n'est qu'un match, Jean. Tu te reprendras l'an prochain.

— Je continue, parvient à articuler l'adolescent en se redressant.

L'entraîneur lui remet son épée en secouant la tête. Dans son regard, son protégé a une lueur déterminée comme il n'en a encore jamais vu. En souriant, il pense à l'expression « l'œil du tigre » que Sylvester Stallone a immortalisée dans le film *Rocky III*.

Jean prend son épée dans la main droite. Il a alors l'insupportable impression d'être en train de se faire marquer l'épaule au fer rouge. En retenant un cri, il change son épée de main. Son arme devient alors légère et souple, comme si elle était le prolongement naturel de son bras. Intrigué, il essaie de se rappeler : N'Juno était-il gaucher ou droitier ? Gaucher, oui, c'est bien ça. Il ne s'en était pas rendu compte, mais il avait pratiqué et combattu de la main gauche durant tout son séjour en Afrique !

Le sifflet marque la fin du temps d'arrêt. Jean se présente sur la piste devant un Bourelle impatient de terminer un match qu'il considère déjà comme gagné. Jean s'élance, esquive la lame de son adversaire, mais présente son côté droit à son adversaire. Julien le darde, impitoyable : 8 à 6. Jean recule et tourne autour de Bourelle en essayant de retrouver sa concentration. Il est furieux de s'être fait prendre comme un débutant. Puisqu'il utilise sa main gauche, il doit exécuter tous ses mouvements à l'envers. Penser à l'envers, même. Il lance une attaque, puis se retire avant que Julien ne comprenne qu'il a maintenant affaire à un gaucher. Il recommence en visant une autre partie du corps et se retire juste à temps. Ça fonctionne, se dit Jean, soulagé. Il bondit en avant, effectue une feinte et touche Julien en pleine poitrine.

— Bourelle 8, Delanoix 7, annonce le commentateur.

Julien rugit et attaque comme un char d'assaut, récupérant son avance de deux points.

Le match se poursuit de plus belle, chacun y allant de ses attaques les plus fines, paradant, contre-attaquant, ripostant et contre-ripostant. À 14 à 11,

Bourelle n'est plus qu'à un point de la victoire, mais il a perdu son habituelle arrogance. Jean n'a pas l'intention de le laisser gagner. Il se bat comme si sa vie était en jeu. Il se bat pour N'Juno, pour les habitants de son village, pour les peuples qui ont souffert de l'esclavage. Il se bat pour les enfants qui n'ont pas eu la chance de vivre leur vie d'enfant. Il se bat aussi pour Djoulé qui lui a offert son amitié et pour Nîmo qui succédera à son père et fera un bon chef. À chacune de ses pensées, le pointage monte en sa faveur. Julien et Jean sont maintenant à égalité, à une touche de la victoire.

Jean sent la fatigue étendre un manteau de plomb sur ses épaules. La foule scande son nom, mais c'est à peine s'il l'entend. Il serre plus fort sa main gauche sur son arme et secoue la tête pour faire tomber la sueur qui coule sur son nez. Le rugissement de la lionne remplit ses oreilles et une odeur de forêt tropicale inonde ses sens. Il plonge alors vers Bourelle, transfère en une fraction de seconde son épée de main et, après une roulade inattendue, il enfonce la pointe de son arme dans la cuisse de Julien. Le témoin de touche s'illumine.

Jean reste étendu sur le sol, vidé de son énergie. Julien affiche un air étonné et presque admiratif. Il tend la main à son adversaire pour l'aider à se relever. Les deux officiels se consultent pendant que la foule attend dans un silence quasi insupportable. Ce mouvement n'a jamais été exécuté en escrime et rien de tel ne figure au livre des règlements. Finalement, l'arbitre lève la main en direction de Jean :

— Point ! Jean Delanoix, du club Estoc, remporte la finale provinciale d'épée masculine chez les 15 ans et moins par la marque de 15 à 14 sur Julien Bourelle.

À contrecœur, Julien serre la main de Jean et quitte la piste. Changeant d'idée, il revient sur ses pas et demande :

— T'es gaucher, maintenant ? Et ce mouvement que tu viens de faire, comment s'appelle-t-il, au juste ?

— Euh… c'est un « Djoulé », en l'honneur d'un ami qui ne m'a jamais abandonné. On se reverra aux championnats canadiens, Bourelle ?

— Tu peux compter sur moi. Je serai enchanté de t'avoir dans l'équipe du Québec.

— Non, JE serai enchanté de t'avoir ! conclut Jean en riant.

Jean est assis dans le vestiaire du complexe sportif. Tous les athlètes sont partis. L'adolescent a posé sur ses genoux la feuille de papier jauni à l'en-tête « Souvenirs » que l'atlas lui a laissée lorsqu'il est reparti, emportant Jules Eiffel vers de nouvelles aventures. C'est tout ce que Jean a conservé de son voyage. Ça et des questions. Pourquoi l'atlas est-il venu le chercher, lui et pas un autre ? Était-ce pour réparer une erreur commise par un autre aventurier ? Ou… par l'atlas lui-même ? Mais alors, le livre aurait pu choisir n'importe quel ancien aventurier de l'atlas pour lui confier cette mission quasi impossible. Son père, par exemple, ou un autre adulte, quelqu'un de grand et de fort, un guerrier ou un sage. Pourquoi lui ? Jean connaît le maniement de l'épée, certes, mais surtout, il a l'impression que l'atlas l'a choisi parce qu'il savait qu'il n'abandonnerait pas ses amis à leur terrible sort. Ce lien était probablement plus important que n'importe quelle puissante armée.

Cela avait-il fait une différence dans cette page effrayante de l'Histoire de l'humanité ? Probablement pas. L'esclavage avait continué de ravir la liberté de millions d'habitants de ce continent, de les déporter sur des terres à l'autre bout du monde et de couper à tout jamais les racines de ce peuple. Ce que Jean avait accompli, c'était bien peu, mais il l'avait fait seul et sans autre pouvoir que sa volonté, son cœur et son courage.

Dans la voiture qui le ramène à Québec, Jean est silencieux, trop fatigué pour parler. Bientôt, son père stationne le véhicule devant une boutique et se tourne vers son fils :

— Pour te récompenser de ta victoire, et connaissant ta passion pour les armes anciennes, nous avons pensé t'offrir une épée de collection. Nous avons déniché le meilleur armurier de la province. Entre et choisis.

Jean n'en revient pas. Depuis qu'il pratique l'escrime, il a toujours rêvé d'avoir une épée de collection. Mais jamais il n'a exprimé tout haut son désir. Devant lui sont alignés des épées, des sabres, des rapières, des estocs, des dagues et des fleurets de toutes les époques et de tous les pays. Certains sont des imitations, mais d'autres sont authentiques, des armes qui ont fait la guerre et l'Histoire. Son regard est soudain attiré vers

158

le comptoir où le propriétaire de la boutique tire une vieille lame oxydée d'une boîte de carton. L'homme l'examine un moment, puis dépose l'arme dans un bac à recyclage, en faisant la moue. Jean s'approche, intrigué :

— Est-ce que je peux la regarder ?

— Elle ne vaut rien. C'est probablement un modèle fabriqué par un forgeron qui ne connaissait rien aux armes. Je ne pourrai rien en tirer, sinon son poids en fer.

Jean saisit l'arme qui trouve aussitôt sa place dans sa main... gauche. L'épée est rouillée et présente de nombreuses éraflures, dont une, plus profonde, sur la lame. Le garçon sent la chaleur inonder son visage.

« Non, c'est impossible », pense-t-il.

Il demande une laine d'acier que le marchand lui tend en secouant la tête :

— Tu perds ton temps. Elle n'est pas de qualité. Viens plutôt voir ma collection. J'ai une épée du XVIIe siècle qui aurait appartenu à...

Mais Jean n'écoute pas. Il frotte le manche rouillé qui prend une teinte verdâtre. Des traits apparaissent, à peine gravés sur le métal. Il approche l'arme de la lumière et déchiffre : J. D.

Il astique la lame avec fébrilité, incapable d'en croire ses yeux. De nouvelles lettres apparaissent :

D…st..ee… Destinée !

— C'est elle, c'est mon épée ! C'est Destinée ! murmure Jean en serrant l'épée contre lui. Oh papa ! je la veux.

— Voyons, Jean, lui dit son père. Tu devrais réfléchir. Je t'offre une épée de collection. C'est ce que tu voulais, non ?

— C'est encore mieux qu'une épée de collection. C'est elle que je veux. Je vous en donne vingt dollars, monsieur. Est-ce suffisant ?

— Pour ce bout de ferraille ? s'exclame le vendeur, incrédule. C'est plus que le montant qu'on me donnera à la récupération. À ce prix, elle est à toi. Bien que j'ignore pourquoi tu t'y intéresses tant…

— C'est une longue histoire, monsieur, une grande aventure, mais vous ne me croiriez pas même si je vous la racontais.

— C'est ça, la jeunesse, soupire le marchand. La tête toujours pleine d'histoires incroyables. Allez ! Bon vent, jeune homme.

Diane Bergeron

 La trilogie de l'Atlas était complétée, l'Atlas et son armoire magique étaient disparus pour de bon. Nul ne savait où. Terminé ! Fini ! Alors, pourquoi Diane Bergeron a-t-elle écrit *L'Atlas est de retour*, le 4e tome de la trilogie ?

La raison en est fort simple, nous explique Diane, *mais également très mystérieuse. L'Atlas lui-même est venu me hanter durant mon sommeil. Brrr ! Quel cauchemar ! Je crois qu'il voulait me signifier que la boucle n'était pas bouclée, que SA mission n'était pas achevée.*

Comment aurais-je pu résister à une pareille force !

ATTACHEZ VOTRE CEINTURE, CAR L'ATLAS EST DE RETOUR !

Dans la collection
Chat de gouttière

1. *La saison de basket de Fred*, de Roger Poupart.
2. *La loutre blanche*, de Julien Lambert.
3. *Méchant samedi !*, de Daniel Laverdure.
4. *Swampou*, de Gérald Gagnon.
5. *Zapper ou ne pas zapper*, d'Henriette Major.
6. *Un chien dans un jeu de quilles*, de Carole Tremblay. Prix Boomerang 2002.
7. *Petit Gros et Grand Chapeau*, de Luc Pouliot.
8. *Lia et le secret des choses*, de Danielle Simard.
9. *Les 111 existoires d'Augustine Chesterfield*, de Chantal Landry.
10. *Zak, le fantôme*, de Alain M. Bergeron, Prix Hackmatack 2004.
11. *Le nul et la chipie*, de François Barcelo. Lauréat du Prix TD 2005.
12. *La course contre le monstre*, de Luc Pouliot.
13. *L'atlas mystérieux*, tome 1, de Diane Bergeron. Finaliste au Prix Hackmatack 2006 et 2ᵉ position au Palmarès de Communication-Jeunesse 2005.
14. *L'atlas perdu*, tome 2, de Diane Bergeron. Prix Hackmatack 2007.
15. *L'atlas détraqué*, tome 3, de Diane Bergeron.
16. *La pluie rouge* et trois autres nouvelles, de Daniel Sernine, Louis Émond et Jean-Louis Trudel.
17. *Princesse à enlever*, de Pierre-Luc Lafrance.
18. *La mèche blanche*, de Camille Bouchard. Finaliste au Prix littéraire de la ville de Qébec 2006.
19. *Le monstre de la Côte-Nord*, de Camille Bouchard.
20. *La fugue de Hugues*, de Carole Tremblay.
21. *Les dents du fleuve*, de Luc Pouliot.
22. *Tout un programme*, de Daniel Laverdure.
23. *L'étrange monsieur Singh*, de Camille Bouchard.

24. *La fatigante et le fainéant*, de François Barcelo. Prix du Gouverneur général du Canada 2007.
25. *Les vampires des montagnes*, de Camille Bouchard.
26. *Pacte de vengeance*, de Camille Bouchard.
27. *Meurtre au Salon du livre*, de David Brodeur.
28. *L'île à la dérive*, de Diane Bergeron.
29. *Trafic à New York*, de Paul Roux.
30. *La zone rouge*, de Gaël Corboz.
31. *La grande Huguette Duquette*, de Sylvain Meunier.
32. *Le mystère de l'érable jaune*, de Jean-Pierre Davidts.
33. *L'atlas est de retour*, de Diane Bergeron.
34. *Sans tambour ni trompette*, de Johanne Mercier.

PROTÉGEONS
NOS FORÊTS

Ce livre a été imprimé sur du papier Sylva enviro 100 % re-
cyclé, traité sans chlore, accrédité Éco-Logo et fait à partir
d'énergie biogaz.

Achevé d'imprimer
sur les presses de AGMV-Marquis
en janvier 2009